_____ 드림

초록작가의 글쓰기 교실

# 반짝이는 계절

# 초록작가 윤정화

화려하고 자극적인 영상이 익숙해진 시대입니다. 그럼에도 글쓰기는 우리 삶에 필요한 부분입니다. 글을 쓰기 위해서는 생각을 정리하는 과정이 필요하고 그 시간을 통해 나를 되돌아볼 수 있습니다. 그렇다고 해서 글쓰기가 거창한 일은 아닙니다. 매일의 일상에서 문자, 카톡, SNS, 블로그, 과제 등 짧은 글이라도 계속 쓰게 되니까요.

이 책은 초록작가의 글쓰기 교실에서 세 명의 아이들이 쓴 글을 담은 책입니다. 글쓰기를 통해 자신을 표현하면서 글도, 아이들도 한 뼘 더 성장했습니다. 봄, 여름, 가을, 겨울을 보내며 이야기 나눈 시간들을 떠올려봅니다. 읽고 생각하고, 쓰고 또 쓰면서 아이들의 글에 많은 변화가 있었습니다.

나에 대해 알아보고, 주변을 관찰해서 묘사하고, 다양한 감정도 알아보았습니다. 단어를 찾고, 문장을 쓰고, 글을 완성했습니다. 완성한 글을 다시 보고 수정하고 또 수정하는 과정도 거쳤습니다. 서로의 글을 읽으며 문체와 스토리에 대해 이야기를 나누기도 했습니다.

글을 완성하는 것도 어렵지만 쓴 글을 되돌아보고 수정하는 건 더 어려운 일입니다. 끝없는 잔소리(?)와 함께 어려운 과정을 마무리 한, 세 아이들에게 박수를 보냅니다.

중간에 한 명도 포기하지 않고 세 명 모두, 글을 완성할 수 있어서 더 기쁩니다. 많이 읽고, 생각하고, 쓰는 사람으로 살면서 반짝이는 계절을 맞이하길 바랍니다.

## 박세아

 책 한 권을 읽을 때마다 그 책 속으로 여행을 떠납니다. 글의 여행지에서의 기억들을 가득 안고 저만의 글을 썼습니다. 이 글을 보는 분들이 제 글에 빠져 즐거운 여행을 했으면 좋겠습니다. 글쓰기 교실에서의 시간동안 더 좋은 글을 쓸 수 있게 도와주신 초록작가님께 감사드립니다. 글을 쓸 때, 즐거울 때도 있었지만 힘들고 고민하게 될 때도 많았습니다. 그럴 때마다 끊임없는 지지와 응원을 보내주신 가족들에게 감사를 전합니다.

## 김예림

 1년동안 글을 쓰면서 제 자신이 많은 성장을 했습니다.
 친구들과 같이 생각도 공유하며 이야기를 나눴던 시간이 저에게는 도움이 많이 되었습니다. 책을 쓰면서 좋은 순간만 있었던건 아니었습니다. 책을 쓰다가 지칠때도 있었고, 하기 싫을때도 있었습니다. 하지만 이런 순간마다 저를 지도해주시는 작가님이 의지가 됐습니다. 많이 도와주시고 응원해주셨습니다. 여기까지 오는데 힘들었지만 작가님 덕분인 것 같습니다.
 감사합니다. 초록작가님.

## 이은별

 책을 읽는 순간만큼은 주인공이 되어 살았습니다. 울고 웃고 공감을 하기도 했습니다. 그런 글을 직접 쓴다는 것은 마냥 쉽고 즐거운 일은 아니었습니다. 못 할 것 같을 때도, 그만하고 싶을 때도 있었지만 때로는 즐거움을 주기도, 또 다른 내가 되기도 했습니다. 무사히 글을 쓸 수 있도록 해주신 초록작가님께 감사를 전합니다.

# 차 례

「오늘」이라는 소중한 선물

여름의 그림자

어느날 갑자기

부메랑

# 「오늘」이라는 소중한 선물

초록작가 윤정화

  아이들 교재 만드는 일을 오랫동안 했고 대학원에서 아동문화컨텐츠를 공부했
습니다. 그림책심리성장연구소 연구원이며 그림책을 쓰고 그리는 그림책 작가입
니다. 그림책으로 사람들을 만나며 글쓰기 수업을 진행하고 있습니다. 계속 글을
쓰면서 재미있게 오늘을 보내는 사람이 되고 싶습니다.

## 「오늘」이라는 소중한 선물

어스름한 새벽, 신비한 기운의 작은 가게에 불이 켜집니다. 오늘이라는 병을 실은 트럭이 오면 주인은 가게 문을 엽니다. 주인은 손님이 오기 전에 작은 병들을 닦으며 병에 적힌 사람들의 이름을 확인합니다. 작은 병에는 사람들의 오늘이 담겨 있습니다.

오늘 상회에서는 작은 병에 담긴 오늘을 손님들에게 줍니다. 손님들은 오늘 상회에서 받은 각자의 오늘을 보냅니다. 오늘을 받아서 웃고 떠들다 보면 오늘은 어제가 됩니다. 어떤 오늘은 금방 잊혀지기도 하고 어떤 오늘은 오랫동안 기억에 남기도 하지요.

하나 둘씩 손님이 들어오고 할머니 손님도 오늘 상회에 왔습니다. 주인은 할머니에게 오늘을 건넵니다. 할머니는 어릴 때부터 이 곳에 왔고 오늘을 더 달라고 떼쓰던 꼬마였지요. 주인은 그런 꼬마에게 매일 같은 말을 했습니다. 오늘은 천천히, 때로는 빠르게 가지만 소중하게 보내지 않으면 영원히 사라져 버린다고요.

꼬마는 소녀가 되고, 여자가 되어 한 남자를 만나고 두 사람은 앞으로의 모든 시간을 함께 하기로 약속하고 각자의 오늘을 마시며 살아갑니다. 아이를 낳고 키우면서 피곤하지만 행복한 오늘을 수없이 함께 합니다. 그렇게 보낸 수많은 오늘이 눈가와 이마에 쌓이고 늘 함께하던 사람의 오늘이 어느 날 사라집니다.

할머니는 벤치에 앉아 보내온 날들을 생각합니다. 함께 하던 이의 빈자리가 더 크게 느껴지는 오늘이겠죠. 그때 할머니의 오늘을 깨워주는 건 살랑이는 바람, 따뜻한 햇살, 지나가던 아이의 인사, 오랜 친구에게서 온 전화였습니다. 할머니는 할머니의 소중한 오늘을 깨닫고 일어섭니다. 오늘상회 주인은 여전히 소중한 오늘이 기다리고 있다며 할머니에게 작은 병을 건넵니다.

시간이 빨리 흘러서 어른이 되고 싶던 어린 시절도 있었고, 어른이 되어 바쁘게 하루를 보내고 결혼을 하고 아이를 낳고 키우며 정신 없이 하루를 보내는 시기도 있었습니다. 앉아서 천천히 밥 먹을 시간도 없을 만큼 바쁘게 보낸 날들의 기억이 조금씩 커가는 아이들의 사진 속에 묻어 있습니다. 그렇게 아이들은 크고 부부는 함께 나이 들어 가는데요. 울고 웃고 다투기도, 행복하기도 했던 수많은 오늘을 함께 보내던 이가 사라지면 어떨까요?

떠난 이는 받을 수 없는 오늘을 남은 사람은 받게 되지만, 오랜 시간 수많은 오늘을 함께 해 왔기에 삶이 멈춘 것처럼 느껴질 것 같습니다. 그래도 남은 이의 삶은 계속되기에 또 오늘을 보내야 하겠죠. 이 책을 보며 배우자의 죽음, 부재에 대해 생각해 봅니다. 언젠가 오늘을 함께 하지 못하는 날이 온다는 것을 생각해보면 오늘을 무엇으로 채우는 게 좋을까요?

오늘을 함께 보낸다는 게, 얼마나 큰 의미인지도 생각해 봅니다. 작은 병에 담긴 오늘을 마시면 누구나 똑같이 오늘을 시작하지만 각자 다르게 오늘을 보냅니다. 같은 시간, 같은 공간에서 오늘을 함께 보내는 것은 그만큼 특별한 선물이고 인연이겠지요?

무언가에 쫓기듯이 바쁘게 보내는 오늘도 있고, 의미 없이 흘려 보내는 오늘도 있습니다. 어느 것도 손에 잡히지 않는 오늘이 있고, 기대하지 않았는데 특별한 일이 생기는 오늘도 있습니다. 곁에 있는 소중한 것들을 무심코 지나치는 오늘도 있고, 꽃 한 송이, 아침 햇살도 다르게 느껴지는 오늘도 있습니다. '나중에 해야지, 나중에 말해줘야지.' 미루면서 무심하게 오늘을 보내기도 합니다. 그렇게 수많은 오늘을 일상이라는 이름으로 보냅니다.

오늘을 어떻게 보내고 있나요? 그 동안 보낸 수많은 오늘은 어떤 모습으로 쌓여 있나요? 소중하게 보내지 않으면 영원히 사라져버리는 오늘을 어떤 이들과 함께 하고 있나요?

지나버린 어제 일들로 후회하지 않고 아직 오지 않은 내일에 대해서 불안해하지 않고 그저 우리에게 주어진 한 병의 오늘을 잘 마시기를, 오늘을 함께 하는 소중한 사람들과 다양한 빛깔의 오늘을 보내기를, 반짝이는 작은 병에 담긴 당신과 나의 오늘을 응원합니다.

'오늘'이라는 소중한 선물에 대해 생각해 봅니다.
「오늘상회」 그림책,
소중함을 잊지 않도록 가까운 곳에 꽂아두고 자주 꺼내보고 싶습니다.

# 여름의 그림자

박세아

　사람들은 대체로 겉으로 보이는 것에 집중합니다. 이면에 숨어 있는 이야기에
관심을 갖는 것은 쉽지 않습니다. 저 또한 그런 사람들 중 하나였습니다. 이 글은
꿈을 이루기 위해 최선을 다해 노력하는 아이, 가장 친한 친구에게 열등감을 느
끼는 아이, 힘든 일들을 겪고 다시 일어서 보려고 하는 아이들의 이야기입니다. 이
아이들을 따라가고 이면의 이야기를 쓰면서 저도 더 성장하는 시간이었습니다.

## 1. 마음 - 박지수

"얘들아, 교과서 98페이지에 한국사 연표 보이지? 시험에 꼭 나오니까 암기해라. 지금 형광펜 친 부분은……."

교탁에서 선생님이 시험 포인트를 짚어주던 말던, 5교시는 나에겐 잠을 자는 시간이었다. 체육 수업을 하고 급식까지 먹어서 더 피곤했다. 에너지 드링크를 가방에서 꺼내 입에 털어 넣듯이 마셨다. 많은 아이들이 책상에 엎으려 자거나 나처럼 졸지 않으려고 노력하고 있었다. 가장 앞자리에 앉아서 꼿꼿하게 허리를 세우고 수업을 듣고 있는 공여름을 빼고.

'쟤도 어제 나랑 같이 연습했는데…… 안 피곤한가…….'

공여름은 매사에 최선을 다했다. 수업시간에 조는 모습도 보지 못한 것 같다. 성적도 나쁘지 않고 거기다 예쁘기까지 하니, 모두가 완벽한 아이라고 인정할 수 밖에. 더욱이 공여름은 우리 학교 최고의 스타였다. 어린 나이임에도 몇 편의 협찬 광고와 드라마를 찍어, 많은 팔로워를 보유한 인플루언서이기 때문이다. 사람의 첫인상은 3초 안에 결정된다는데, 공여름을 보면 0.3초만에 모두가 그 애에게 호감을 갖게 될 것이다. 물론 성격 탓도 있지만, 가장 먼저 보이는것은 역시 여름이의 외모이다. 나도 공여름을 처음 봤을 때는 '예쁘다' 라는 생각부터 들었으니까.

밝은 갈색 머리카락을 귀 뒤로 정돈하는 손은 가늘고 하얗다. 눈빛은 진지하고 명석해 보이면서도 따뜻함이 담겨있다. 눈이 마주치면 넋 놓고 바라보게 되는 순간이 있다. 평범한 눈인 데도, 사람을 끌어들이는 힘이 있었다. 그런 여름이를 처음 본 건 3년 전이었다.

중학교 2학년. 엄마의 장기 출장으로 이모네 집에 머물렀던 때가 있었다. 이모는 연기학원을 운영하고 있었고, 자연스럽게 한 달 동안 학교가 끝나면 연기학원으로 갔다. 그때의 난 연기에는 흥미가 없었기에, 보통 원장실에서 숙제를 하거나 책을 읽었다. 연기에는 관심도 없고, 유명한 드라마 또한 본 적 없던 나는 학원에서도 숙제를 마치면 다른 아이들을 구경하며 앉아만 있다가 이모의 집에 가기 일쑤였다. 이모네 집에서 지낸지 일주일 정도 된 어느 날, 공여름을 처음 봤다. 그러다 처음 마주하게 된 공여름은 학원의 다른 아이들에게 들은 이야기속 내 상상의 이미지를 뛰어넘는 아이였다. 하얀 얼굴과 예쁜 눈, 단정하게 내린 앞머리까지. 잠깐 스쳐 지나가는 순간에도 '아, 쟤가 공여름인가?' 라는 생각이 들었다. 그리고 며칠 후, 나는 공여름의 연기를 제대로 볼 수 있게 되었다.

그 연기에서는 무언가 느껴졌다. 연기에 대해 무지했던 내가 봐도 공여름은 뛰어났다. 슬픈 장면을 연기할 때면 같이 슬퍼졌고, 기쁜 장면을 연기할 때면 웃고 있는 날 볼 수 있었다. 공여름의 연기에 맞춰서 배경이 만들어지고, 음악 소리가 들렸다. 그동안은 유명한 드라마에 대해서 열심히 설명하는 친구들을 보며 '왜 저렇게 드라마에 몰입하는 거지?' 라고 생각했었다. 그러던 나는 공여름의 연기를 보면서 처음으로 '이런 게 연기구나' 라는 걸 느꼈다. 그 날의 연기 주제는 '친한 친구 동생의 장례식장에 간 아이' 였다. 연습실의 한 가운데에 서서 대본을 들고 연기하는 공여름은, 나를 그 상황에 데려다 놓았다. 울면서도 발음이 새지 않고, 슬픔이 느껴지는 목소리였다. 어느새 내 주변에는 검은 옷을 입은 사람들이 있었고, 나는 장례식장에 앉아 있었다. 공여름이 상상하는 장면이 내게도 보였다. 처음 경험해 본 순간이었다. 연기일 뿐이라는 걸 아는데도, 공여름에게 뛰어가서 손을 잡아주며 위로해주고 싶단 생각이 들었다.

그날 이후로 매일 학교가 끝나면 집에 돌아와서 친구들이 추천해 준 드라마를 보기 시작했다. 수사물, SF, 로맨스물까지. 그러다 보니 어느 순간 자연스럽게 나도 공여름과 드라마 속의 배우들처럼 될 수 있지 않을까? 하는 생각이 들었다. 처음엔 공여름의 연기를 보고 흥미가 생겨 드라마를 보기 시작했는데, 언젠가부터 드라마를 볼 때면 배우들의 배역 하나하나에 나를 비교해보며 연기하는 상상을 했다. 연기하는 배우들을 볼 때면 말로 설명할 수 없는 기분이 느껴졌다. 내 연기로 인해서 다른 사람들이 지금 내가 느끼는 감정을 느끼게 되었으면 좋겠다는 생각도 했다. 그런 생각을 자주 하다 보니 연기를 계속 하고 싶어졌다. 그런 날들이 반복된 이후로 나는, 이모의 연기학원에 정식으로 다니게 되었다.

그 날은 주말에 혼자 학원에 간 날이었다. 연습실에서 작은 인형을 상대역 삼아 연습을 하는데, 똑똑 노크 소리가 들렸다. 문을 빼꼼 열고 날 쳐다보는 공여름이 보였다.

"들어가도 돼?"

"어…… 들어와. 너 공여름. 맞지?"

갑작스러운 방문에 놀랐지만 내가 연습하는 모습을 공여름이 봤다는 게 신기하고 떨렸다.

"응. 너도 연습하러 온 거야? 박지수?"

공여름이 내 이름을 알고 있었다.

"응. 맞아."

공여름을 볼 때마다 멋있어 보이고 떨렸던 마음은 어디 갔는지, 막상 대화를 해보니 여름이는 나와 비슷한, 평범한 사람 같았다.

"나도 연습하러 왔는데 같이 해도 돼? 난 혼자 하는 것보다 같이 하는 게 더 잘 돼서."

"정말? 나야 좋지. 그럼 혹시 여기 한번만 해 봐줄 수 있어? 이 상황에서 왜 여자가 기뻐하는 지 이해가 잘 안 가."

"여기서는 여자의 마음을 이해하려고 하는 게 아니라 이 사람이 너라고 생각 해야해. 네가 외부에 있는 사람으로서 있지 말고, 이 여자가 됐다고 생각해."

"몰입하는 방법, 내 경험과 연기해야 할 대상의 감정을 자연스럽게 섞는 방법. 이런 부분을 연습할 때는 무턱대고 여러 번 해보는 것보다 감정을 확실하게 이해하고 연습하는 게 더 도움이 될 거야. 내 경험상으로는."

우리는 그날 내내 같은 연습실에서 연습을 했다. 공여름은 내 예상과는 다르게 노력파였다. 여름이의 대본은 여기저기 붙어있는 포스트잇과 여러 색의 볼펜자국으로 가득했다. 두꺼운 귀퉁이 부분은 너덜너덜하게 닳아 있었다. 색색의 형광 펜으로 예쁘게만 꾸며진 내 대본이 왠지 부끄럽게 느껴졌다.

그 날 이후로는, 더 연기 연습에 매진하게 되었다. 그리고 다음 날 부터 는 연습실에서 공여름을 자주 만날 수 있게 되었다.


'여름이는 협찬도 많이 받으니까 아무래도 돈도 잘 쓰는 편 않을까?'라 고 생각했던 막연한 이미지와는 달랐다. 분식집에서 음식을 시키거나, 화 장품 가게에 갈 때도 꼭 필요한 것만 결제했다. 나는 기분파에 가까워서 가끔 필요 없는 곳에 돈을 쓰는 경향이 있는데, 여름이는 절대 그렇지 않 았다.

"근데 넌 왜 그렇게 돈을 아껴서 써?"

"나는 돈 쓸 때마다 무서워서 잘 못 쓰겠더라고."

"무섭다고? 뭐가?"

"촬영 끝나면 받는 돈을 내가 관리하거든. 힘들게 번 돈인걸 내가 제일 잘 아니까 빠져나가는 걸 보면 좀 허무하다고 해야 하나?"

"촬영하는 거 많이 힘들어?"

"조금? 그래도 재밌어!"

"그렇게 생각하는 줄 몰랐네……."

"내가 선택한 일이니까! 열심히 하고싶어."

"그럼 오늘은 내가 떡볶이 쏠게! 오늘 마침 용돈 받았어."

"그래? 그럼 마다하진 않겠어!"

여름이의 웃음을 눈에 담으며, 분식집으로 발걸음을 옮겼다.

'왜 당황 한거지?'

여름이의 말에 당황한 이유를 생각해보았다. 왜 말문이 막혔을까?

'돈을 쓰는 게 아깝다.' 나에게는 모두 가진 사람의 과한 겸손처럼 느껴졌다. 나는 연기 하나만으로 벅찬데 여름이는 이미 다른 세계에 발걸음을 디디고 서 있었다. 평상시에는 느끼지 못하지만, 어느 순간 우리 사이의 벽이 눈에 띄면 왜 이제껏 몰랐을까 싶을 정도로 벽은 두꺼웠다.

입 밖으로 꺼낼 수는 없는 말이었다. 여름이에게도 나에게도 상처가 될 것 같아서. 처음엔 그저 부러움인 줄 알았던 감정이 날이 갈수록 열등감과 질투심으로 바뀌어 갔다. 여름이를 싫어하는 건 아니었다. 멀어지고 싶은 것은 더욱 아니었고.

여름이는 큰 천으로 덮인 성 같았다. 보이는 것을 눈으로 쫓을 순 있지만, 마음을 이해할 수는 없었다. 속은 단단한 게 분명한데, 그 사실을 알게 되려면 천을 조심히 걷고 들어가서, 성의 문을 열어야 한다. 나는 지금쯤 여름이에게 큰 성의 무수한 방 중 하나를 차지할 수 있는 존재가 된 걸까? 어쩌면 난 아직 천의 겉모습을 바라보고 있는 걸지도 모른다. 가끔은 천 속이 흘러가는 바다나 구름일지도 모른다는 생각도 한다. 여름이는 항상 내 예상을 빗나가니까.

　그 날, 밤새 여름이와 통화를 했다. 물론 천이나 성, 바다 따위의 생각을 한 건 말하지 않았다. 그 때 여름이와 나눴던 대화가 계속 마음에 남았다. 내색하지 않고 평소처럼 웃었다.

"그래서 어떻게 됐어? 그 감독 진짜 이상하다."

　최근 찍은 화보 감독의 이야기였다. 감독의 기분에 따라 바뀌는 촬영장에 가는 게 힘들다는 고민이었다.

"말도 마. 하루 종일 감독님 기분 맞춰주느라 엄청 힘들었다고."

　나와 이야기할 때만 나오는 활발하고 들뜬 말투가 핸드폰 너머에서 들렸다.

"그래도 어떻게 잘 끝냈네? 잘 했어, 역시 공여름이네."

　시간은 어느덧 새벽 2시를 넘어가고 있었고, 우리는 내일 보자는 말과 함께 통화를 끝냈다. 밝은 여름이의 목소리가 사라지자 나 혼자 남은 방에는 잡생각들이 둥둥 떠다녔다. 혼자 유난 떠는 것 같았다.


　이런저런 생각을 하다가 잠들었고, 다시 여름이를 보는 금요일. 학교에 가는 내내 머릿속이 복잡했다. 내가 공여름보다 한참 부족하고, 내가 하는 연기와 여름이가 하는 연기는 다르다는 건 알고 있었다. 내가 더 노력해야 한다는 걸 알지만 시간이 지날수록 지치는 건 사실이었다. 여름이 앞에서는 항상 웃는데, 뒤에선 앞으로 나아가기 바빴다. 어느새 연기가 부담이 되어있었다. 하루만 연습을 덜 해도 불안하고, 무서웠다. 나 혼자 뒤쳐질까봐. 불안을 없애는 게 쉽지는 않았다. 그러다 결국 여름이와 친구를 하지 않았다면 더 좋지 않았을까? 라는 생각에 다다랐을 때는 내 자신이 미워졌다. 이런 생각을 하는 것조차 죄책감으로 쌓였다. 그래서 여름이를 한동안 피했었다. 그게 여름이에게 어떤 상처로 다가가는 지도 모르고, 내 힘듦만 생각했다. 이기적이었던 건 맞지만, 완전히 멀어지려 한 건 아니었다. 모순투성이었다. 이런 마음 상태로는 연기도, 친구도 모두 놓칠 것 같았다.

우리 사이에는 작은 다리가 하나 생겼다. 여름이의 마음의 성과 내 마음의 성을 연결하는 다리. 원래는 같은 마당을 공유했다면, 이번엔 내가 일방적으로 다리를 만들었다. 누구도 그 다리의 존재에 대해 묻거나 먼저 말을 꺼내지 않았다. 다리 밑의 물은 아무리 가까이서 들여다보아도 내 얼굴이 비치지 않는 새카만 색이었다. 그 땐 연기 자체와 여름이의 존재가 부담으로 다가오고 숨이 막혔었다. 지금은 우리 사이의 다리가 없어졌다고 말할 수 없겠지만, 그 밑을 흐르는 물이 맑고 깨끗한 푸른색이라는 건 장담할 수 있다.

"박지수!"

익숙한 목소리가 들렸다.

"끝났어? 갈까?"

"응! 근데 너 아까 수업시간에 나 쳐다보지 않았어? 5교시에. 뒤통수 뚫리는 줄 알았잖아!"

여름이가 장난스럽게 웃으며 말했다.

"어떻게 알았어? 그냥, 너 보니까 옛날 생각 나서."

나도 웃으며 대답했다.

"옛날 생각? 언제?"

"그냥 너 인플루언서 한창 시작하고, 그럴 때?"

여름이는 의외라는 듯 눈을 동그랗게 뜨고 날 쳐다봤다.

"왜?"

"네가 옛날 얘기 꺼내는 거 처음인 것 같아서. 너한테 할 말 있었는데 학원 가기 전에 베어 잠깐 들를래?"

베어는 학원 상가 1층의 카페인데, 갈 때마다 보이는 한 알바생이 곰을 닮았다는 이야기를 한 이후부터 우리는 카페의 정식 명칭을 무시하고 멋대로 '베어'라는 이름을 붙였다.

"할 말? 그럼 그럴까?"

"좋아! 사실 얼마 전에 신메뉴 나온 거 봤는데 너가 좋아할 것 같은 메뉴야!"

여름이가 씨익 웃었다.

## 2. 반짝반짝 빛나는 - 공여름

"영예의 대상 수상자는, <제비꽃의 무제> 서 활약해 준 이 원 배우입니다. 축하드립니다!"

티브이 속 이 원이 활짝 웃으며 반짝반짝 빛나는 트로피를 받았다. 박수 갈채가 쏟아졌고, 손에는 꽃다발이 한가득 들려 있었다. 어린 나는 티브이 앞에 앉아서 뚫어져라 이 원의 얼굴을 응시했다.

'예쁘다······.'

이 원은 스물 한 살의 여배우이다. 어릴 때부터 아역배우 활동을 하며 각종 광고와 웹드라마에 출연해왔다. 그리고 성인이 되면서부터 여러 장르의 드라마에 출연하기 시작했다. 그 해는 <제비꽃의 무제>라는 드라마가 대히트를 쳤다. 제비꽃밭이 예쁜 시골에서 작가 생활을 하는 주인공 해주(이 원)의 이야기를 담은 드라마이다.

초등학교 2학년 즈음, 아무 생각 없이 티브이 채널을 돌리다가, 예쁜 제비꽃밭이 나오는 화면에 눈길이 멈췄다. 드라마 속의 해주는 꽃밭에 머리를 대고 누워 있었다. 위로 올려 묶은 머리카락이 바람에 휘날리는 모습은 수채화로 그린 그림 같았다. 볼에 닿는 제비꽃과 풀이 간지러운지 웃으며 고개를 돌리는 모습도, 베이지 색의 뷔스티에 원피스 위로 내리쬐는 햇살도. 연기하는 이 원을 볼 때면 아무 생각도 들지 않고 그 상황에 빠져 들었다. 이 원이 연기하는 캐릭터들은 실제로 존재하는 사람들 같았고, 제비꽃밭에 가면 해주를 만날 수 있을 것 같았다. 가끔 그 때 그 드라마에서 이 원을 보지 않았더라면, 지금의 나는 뭘 하고 있었을까? 생각한다. 그래도 나는 배우를 꿈꾸고 있을까?

그 해부터 연기를 시작하게 되었다. 그래도 힘들다는 생각은 한 번도 해보지 않았다. 언젠간 이 원과 같은 드라마에 출연해보고, 이 원처럼 웃는 얼굴로 꽃다발을 받고 싶었다. 그러던 어느 날, 이 원을 만날 기회가 생겼다.

# 3. 불안한 이야기 - 박지수

"할 말은 뭐야? 아까부터 엄청 궁금했는데."

"그게, 사실 얼마 전부터 이런 문자를 받고 있거든."

여름이가 핸드폰을 내밀었다.

"이게 뭐야?"

욕으로 도배되어 있고, 중간중간 알 수 없는 숫자들이 난무했다. 누가 보낸 문자인지는 알 수 없었다.

"보통 하루에 두 세 통씩 와. 한 일주일 됐나? 처음에는 그냥 무시하고 신고하려고 했는데, 이 사람…… 나에 대해서 너무 잘 알아."

스토커 인가? 눈살을 찌푸리며 스무디가 담긴 컵에 꽂힌 빨대 끝을 잘근잘근 씹었다. 여름이에게 이런 일은 처음이 아니었다. 중학생 때 학원에서 나오는 여름이를 보고 번호를 달라고 부탁한 남자가 그다음 날 촬영장까지 따라온 일이 있었다. 그때부터 여름이는 더욱 경각심을 가지게 되었고, 인스타 메시지로 받는 욕설쯤은 대수롭지 않게 넘길 수 있게 되었다. 무뎌졌다기보단 무시하는 법을 터득한 것이다.

그런데 이 사람은 달랐다. 인스타그램이라는 수단이 있는데도 굳이 연락처를 알아내 연락했다. 그리고 문자 사이에 반복되는 번호.

"여름아, 이 번호들 혹시……."

"맞아. 우리 집 주소. 처음엔 뭐지, 싶었는데 번호를 여러 개씩 보내더라고. 집 주소를 알고 있는 사람이야."

'집 주소까지 알고 있을 정도면 주변 사람이라는 건가?'

"에이전시 대표님 이랑 이야기 나눠 봤어? 신고는?"

"신고는 이미 다 했어. 원래는 인스타그램 메시지가 시작이었는데, 신고 때문에 그 방법이 막히니까 번호를 알아낸 것 같아."

여름이가 목소리를 낮춰 말했다.

"너무 걱정하지 마. 신고도 했으니까, 혹시 내 도움 필요하면 말하고."

"그럼! 신경 안 써."

무섭고 불안하지만 숨기는 건지, 정말 괜찮은 건지는 잘 모르겠지만 후자이길 바랬다. 어느새 내 스무디와 여름이의 레몬 에이드는 바닥을 보였다. 우리는 이런저런 이야기를 나누다가 카페를 나섰다. 그 일이 시작이었다는 걸 꿈에도 모른 채.


카페에서 여름이에게 문자 이야기를 들은 이후로, 나와 여름이의 주변에는 묘하게 긴장된 분위기가 흘렀다.

"지수야, 혹시 나 어제 체육복 어디다 뒀는지 봤어?"

아이들이 모두 운동장으로 나가고 둘만 남은 교실에서 여름이가 말을 걸어왔다.

"사물함에 넣어 놓는다고 하지 않았어?"

"응, 근데 사물함에 없어서……."

"그래? 누구 빌려준 건 아니야?"

"아닌데……, 그런 기억이……."

여름이가 사물함과 가방, 교실 전체를 체육복을 찾아 샅샅이 뒤지다가 갑자기 말을 멈췄다.

"여름아?"

여름이는 교탁 밑 의약품 수납 공간에서 눈을 떼지 못하고 있었다.

"지수야, 나 체육복 찾은 것 같아."

"체육복이 왜 교탁에……."

여름이가 눈을 찌푸리며 교탁 밑에서 들어올린 체육복, 그리고 그 위의 메모지가 내 눈에 들어왔다.

"체육복은 여기 있고……. 이 메모는 뭐지."

나도 여름이의 옆으로 다가가 메모를 읽었다.

동글동글하면서도 어딘가 규율이 있어 보이는 듯한 단정한 글씨체. 메모지에 적힌 숫자는 1이었다.

"지수야, 이거…….

여름이와 눈이 마주쳤다.

여름이가 어제 연기학원에서 가장 최근에 받은 문자에 있는 숫자는 2와 0이라고 말해준 사실이 떠올랐다. 그와 동시에 여름이의 집 주소의 마지막, 그러니까 여름이가 사는 집의 호수가 201호라는 사실도 떠올랐다.

"여름아, 이거, 생각보다 큰 문제인 것 같은데……. 그 사람이 학교에까지 찾아왔다는 건…….

내가 말을 다 끝마치기도 전에, 여름이가 말했다.

"우리 학교에 다니는 사람일 수도 있어."

# 4. 반가운 얼굴 - 공여름

인애 언니를 처음 만난 건 중학교 1학년 때였다. 언니는 2학년, 미술 동아리였고, 나는 연기 동아리에 들었다. 우리 학교는 예술 중학교는 아니었지만, 동아리 활동이 비교적 전문적이었다. 연기를 하면서 학업도 최대한 챙길 수 있는 방향으로 선택한 결과였다. 언니는 항상 머리를 돌돌 말아서 높게 올려 묶고 다녔었다. 거기에 항상 피곤해 보이는 인상까지, 그게 인애 언니에 대한 내 첫인상이었다.

게다가 딱히 꾸미지 않았는데도 예쁜 외모라서 더 눈이 갔다.

연기 동아리와 미술 동아리의 부실이 같은 층에 있어서 그런지, 동아리 활동을 하는 금요일이면 항상 복도에서 언니를 만났다. 그렇게 언니의 인상이 '복도에서 자주 마주치는 선배'로 굳어져 갈 때쯤, 인애 언니가 내게 말을 걸어왔다.

"저기, 너 1학년 연기 동아리 맞지? 나 2학년 미술 동아리인데……."

"아, 네. 설인애 선배님 이시죠?"

"어, 어떻게 알았어?"

"저희 복도에서 자주 마주쳤었잖아요."

미소를 띠며 언니를 보고 말했다.

"그래서 기억하고 있었구나, 마침 잘 됐다. 사실 내가 모델을 구하고 있거든."

"모델이요?"

모델이라는 말을 들으니 호기심이 생겼다.

"응, 이번 동아리 과제가 다른 사람의 모습을 그리는 거라서……. 초면인데 이런 말 하는 거 당황스러울 수 있는데, 모델 부탁해도 될까……? 사실 전부터 너 알고 있었거든. 입학할 때부터 엄청 유명했잖아, 너."

언니는 날 똑바로 보며 정중하게 모델을 부탁했다.

"아무튼 그래서……. 이번 과제로 널 그려보고 싶었는데, 해줄 수 있을까 해서."

나는 흔쾌히 모델 요청을 수락했고, 언니와 나는 그날 이후로 매일 방과후 미술동아리 교실에서 만났다. 언니는 하루하루 나를 관찰하다시피 그림을 그렸고, 우리는 어느새 가장 편하고 친한 사이가 되어있었다. 호칭은 '인애 선배님'에서 '인애 언니'로 바뀌었다. 부모님이나, 같은 학원 친구들에게도 말할 수 없었던 연기에 관한 고민을 언니에게는 편하게 말할 수 있었다. 언니와 있으면 마냥 즐거웠다.

우리는 꾸준히 연락하고, 꾸준히 만났다. 그렇게 1년의 시간이 지났다. 언니는 3학년이 되어 입시를 준비하고, 나도 2학년이 되면서 신경 써야 할 일이 늘어나자 자연스레 만나는 횟수가 줄었다. 그렇게 서로의 일상을 사느라 우리의 사이는 점점 멀어졌다.

언니는 고등학교에 진학했고, 나도 그 다음 해에 언니와 같은 고등학교에 입학했다. 입학식 날은 지수와 떡볶이를 먹기로 약속한 날이었다. 대본을 가지러 잠시 학원에 가기 위해 아침에 일찍 집을 나섰다.

"공여름?"

부지런히 걸음을 재촉할 때 누군가 내 이름을 불렀다.

"인애 언니?"

오랜만에 마주하는 얼굴이 반가웠다.

"여름이 너 맞구나! 우리 얼마만이야? 넌 더 예뻐졌네!"

"그러게, 잘 지냈어 언니? 진짜 오랜만이다."

언니는 내 예상과는 조금 다른 사람이 되어있었다.

반년 만에 만난 언니에게서 내가 몰랐던 점이 보였다.

언니와 헤어지고 집에 돌아가는 길에 혼자 인애 언니에 대해 생각했다.

어릴 때부터 나와 다른 환경의 사람들을 많이 만나다 보니 눈치가 빨라졌고, 오늘처럼 알고 싶지 않은 걸 알게 되는 날들도 생겼다. 확실하지는 않지만……. 언니는 나와 자신을 비슷한 사람으로 생각하고 싶어하는 것 같았다.

'뭐, 한 사람을 완벽하게 다 알 수 있는 건 아니니까.'

분식집으로 향하다가 문득 일찍 나온 주 목적이었던 대본을 잊었다는 게 생각났지만, 지수에게 사정을 설명하고 집에 가기 전에 잠시 들르면 될 것이라 생각했다. 분식집 문을 열고 들어가니, 떡볶이를 앞에 두고 웃으며 인사하는 지수가 보였다.

"공여름, 빨리 와!"

"우와, 떡볶이? 너가 쏘는 거야?"

"응. 좋지? 그 언니는 잘 만나고 왔어?"

"어, 언니는 그대로더라고. 너 어떻게 지내는지도 궁금해 했어."

"나도 나중에 한 번 만나 보고싶다. 공여름이 그렇게 좋아하는 사람이 도대체 누굴지 궁금한데."

"에이, 그 정도는 아니거든!"

인애 언니와 있을 때 느꼈던 찝찝함은 애써 뒤로하고 웃으며 대답했다.

"여름아, 근데 그 사람 있잖아……."

"응?"

진지한 이야기를 꺼내는 지수와 눈을 맞추며 떡볶이를 입에 넣었다. 굳이 부연설명을 하지 않아도 '그 사람'이라는 단어에서 지수가 무엇을 말하고 싶어 하는지 알 수 있었다.

"협찬 회사 쪽 사람이 아닐까 싶어. 너 얼마 전에 회사에서 이 원 만났다고 했잖아. 그 때 상황 기억나?"

이 원.

그 이름이 나오자 내 눈이 자연스레 동그래졌다.

# 5. 빛을 따라서 - 공여름

중학교 1학년 때였다.

"여름아, 이 오디션 어때? 웹 드라마인데 대본도 괜찮아."

"웹 드라마요? 오디션이라면 저는 아직⋯⋯."

오디션이라는 말만 들어도 설렘과 긴장으로 심장이 두근거렸다.

"배역 봐 봐. 이 원 어린시절 연기야. 쌤은 네가 제일 잘 할 수 있을 거라고 생각했는데, 어때?"

이 원. 두 글자를 듣고 조금 망설였지만 이 기회를 놓친다면 후회할 것 같았다.

결국 오디션 준비를 시작했다. 연습하고 또 연습했다. 컨디션 조절을 하느라 더 연습하고 싶은 걸 참고 잠드는 날도 있었다. 내가 할 수 있는 한, 최선을 다했다. 내가 이 자리에 있게 해 준 사람을 연기한다는 건 힘들기도 했지만 행복했다.

오디션 합격 발표 날.

띵-. 문자 도착 알림이 울렸다. 오디션을 제안해 주셨던 에이전시 실장님의 문자였다. 장문의 문자 중에서 내가 읽을 수 있던 글자는 오직 '합격'과 '축하해' 였다. 다른 글자들은 뒤엉켜 머릿속으로 사라졌다. '합격'이라는 풍선을 타고 하늘을 나는 느낌이었다.

처음엔 믿기지 않았다. 데뷔의 순간이 이렇게 일찍 찾아올 줄도 몰랐고, 이 원과 같은 작품일 것이라는 건 상상도 해본 적 없는 일이었다. 나는 가끔 내가 이 원이라고 생각하며 연기에 몰입했다. 그렇게 생각하면 나 '공여름'은 못 할 연기도 더 멋있게 잘 해낼 수 있었다.

오디션을 준비하면서, 나보다 이 원을 잘 아는 사람은 없을 거란 생각도 들었다. 그럴 정도로 나는 이 원을 관찰하고 연구했다. 시선 처리, 표정, 말투 하나 까지도 모두 닮고 싶어 무작정 따라 했다.

촬영 첫 날. 나는 촬영장의 막내였다. 처음 마주한 실제 촬영장의 풍경은 내 예상과는 달랐다. 여기저기 뛰어다니는 사람들, 그에 맞춰 터지는 플래시, 겹쳐 들리는 오디오. 예상을 안 한 건 아니었지만 막상 두 눈으로 보니 연기에 몰입하는 게 정말 어렵겠다고 생각을 했다. 이 원을 신경 쓸 틈도 없이 촬영 첫째 주가 지나갔고, 그 다음 주에서야 나는 이 원을 볼 수 있었다.

걱정스러운 마음과는 달리, 촬영장은 정말 재미있었다. 나를 바라보며 내 노력의 결과를 담고 있는 카메라와 내 행동을 분석하고 관찰하는 사람들, 그리고 이 작품을 곧 많은 사람들이 보게 될 것이라는 사실은 나를 떨리고 설레게 만들었다.

이 원과의 첫 만남은 형식적으로 이루어졌다. 드라마 속에서 내가 이 원이고 이 원이 나인 셈이니까, 연기의 합을 맞추는 게 중요했다.

"안녕하세요, 이 원입니다. 잘 부탁드려요."

나와 나이 차이가 한참 나는데도 존댓말로 인사를 건넸던 순간이 기억에 남는다.

"아, 안녕하세요. 공여름입니다. 잘 부탁드립니다!"

카메라 앞에서는 그렇게 잘 나오던 말이, 이 원이 내 눈앞에 나타나자 내 의지와 상관없이 입이 얼어붙었다. 이 원과 이야기를 하는 와중에도 눈을 똑바로 쳐다보지 못했다.


"승부욕이 강해 보이네요."

"네?"

촬영 비하인드 용으로 우리를 찍던 카메라가 꺼지자 마자 이 원이 말했다.

누군가 이렇게 콕 집어 말하는 건 처음이었다. 이 원의 한 마디에, 누군가 내가 쌓아온 마음의 성 안에 노크도 없이 들어온 것 같은 느낌이 들었다.

"열심히 하는 게 보기 좋아서 그래요. 나도 어릴 때 그랬거든요"

침을 꿀꺽 삼켰다. 일종의 테스트가 시작된 것 같았다. 이 원을 연기하려면 이 정도는 해야 한다는, 암묵적인 테스트. 오디션을 봤을 때만큼 더 떨렸다. 이 원이 만족할만한 답을 하기 위해서 크게 숨을 들이마시고 말했다.

"네. 이 오디션도 정말 열심히 준비했어요. 배우님……을 정말 좋아하기도 하고, 정식으로 작품에 나오는 건, 처음이라서요."

이 원의 눈이 잠시 나를 보는 듯하더니, 미소를 지었다.

"나 좋아한다고 했죠? 고마워요. 이거 받고, 남은 촬영도 힘 내요."

"어, 감사합니다……!"

이 원은 손에 무언가를 쥐어 주고는 다시 촬영장 속으로 들어갔다. 이 원의 뒷모습을 눈으로 쫓다가 내 손을 내려다봤다.

[첫 촬영 와서 많이 느끼고 배웠을거라 생각해요. 앞으로도 힘내고 이번 촬영도 잘 끝내자는 의미에서!]

단정한 글씨체가 써 있는 메모지를 떼자, 물건이 보였다. 이 원을 뜻하는 원(ONE)이라는 글자가 새겨진 작은 열쇠고리였다. 묘한 시작이었다.

그 후 촬영은 휘몰아치듯이 빠르게 진행되었다. 난 매 화 나오는 분량은 아니라서, 비교적 짧게 촬영을 끝냈다. 모든 촬영이 끝나고 집에 돌아오던 밤을 아직도 기억한다.

"여름아! 수고했다. 첫 촬영이라서 힘들었을 텐데 고생 많았어."

"감사합니다, 감독님!"

밝은 목소리와 표정으로 인사드렸다.

촬영장을 나와서 볼에 닿는 차가운 바람을 맞는 순간, 눈물이 날 것 같았다.

이 곳에 다시 올 일이 없다고 생각하니 기분이 이상했다.

그 때였다.

"짠!!!"

누군가 내 앞에 불쑥 나타났다.

"어?"

"뭐야, 반응이 그게 다야? 얼른 여기 와서 앉아, 같이 먹자!"

예고도 없이 나타난 인애 언니는 내 손을 잡아 끌어 벤치에 앉혔다. 그리고 웃으며 플라스틱 포크로 케이크를 한 입 떠서 내 입에 가져다 댔다.

"여긴 어쩐 일이야, 이 시간에……? 놀랐잖아. 이 케이크는 또 뭐야?"

"놀랐지! 촬영 마지막이잖아. 기분 이상할 것 같아서."

"아무래도 조금은? 그래도 괜찮아! 첫 작품 무사히 끝낸 것만으로 좋아."

"그 기분 내가 제일 잘 알지, 미술이나 연기나, 비슷한가봐."

"언니도 그런 기분 느낀 적 있어?"

누군가 옆에 있다는 것만으로 마음이 편안해지는 것 같았다. 늦은 밤인데도 일부러 찾아와 준 언니가 고마웠다.

"그럼, 당연하지. 입시 하나만 보고 하루 종일 그림 그리는 게, 생각보다 힘들거든. 너도 알지? 막막하고, 나한테 믿음은 없고, 그런 상황."

"언니도 그런 생각을 할 줄 몰랐어……."

"다들 한 번씩 해보는 생각 인거지 뭐. 그래도 내가……."

언니는 갑자기 말을 멈추더니 이내 땅바닥을 한 번 쳐다보고, 다시 나를 쳐다봤다.

"내가 하고싶었던 일이니까!"

웃으며 말하는 언니의 표정이 쓸쓸해 보였다.

"힘들 때마다 항상 이렇게 생각하거든. 내가 선택한 일이니까 끝까지 책임져야 한다고."

한 편으로는 언니가 멋있다는 생각이 들면서도, 어딘가 마음 한구석이 꽉 막힌 기분이었다.

"나는 그렇다는 말이었어! 너무 부담 가지지 말고."

"응, 고마워, 언니."

짙은 색의 덩어리처럼 마음에서 떠돌던 감정들이 점점 정리되는 것 같았다.

"아, 맞다! 언니, 혹시 전에 내가 보여준 열쇠고리 본 적 있어?"

"어? 아, 그 배우가 줬다는 거? 왜? 잃어버렸어?"

"응……. 얼마 전에 언니한테 보여주고 나서, 그 이후로 안 보여서."

이 원에게 무언가를 받았다는 사실에 들떠서 다음 날 내내 열쇠고리를 교복 자켓 주머니에 넣어 놓았다. 만지작거리며 그 때의 상황을 떠올리느라, 수업에 집중을 못 했다. 그런데, 언니에게 잠깐 보여주려고 가방에 걸어 놓은 이후로 열쇠고리가 보이질 않았다.

'훔쳐갈 사람도 없을 텐데.'

"그래? 난 못 봤는데……, 나중에 학교 가서 같이 찾아보자."

"응, 잃어버리니까 괜히 신경 쓰이더라고……."

연기학원 평가나 오디션을 볼 때 생긴 징크스가 있다. '물건을 잃어버리면 꼭 대사 한 부분을 까먹는다는 것.'

시간이 흐를수록 징크스는 뚜렷해졌다. 연기학원의 4월 평가 때는 형광펜을 잃어버렸었다. 그리고 그 날 형광펜으로 밑줄 그어 놓은 대사들 중 하나를 기억하지 못했다. 이런 일의 반복이니, 중요한 일을 앞두고 있을 때 물건 관리에 더 신경 썼다. 신경 쓰지 않고 집중하려고 해도, 계속 신경 쓰이는 게 징크스였다. 당장 앞둔 중요한 오디션이나 평가는 없지만, 중요하게 생각했던 물건을 잃어버렸다는 생각으로 불안했다.

## 6. 얼어붙은 마음 - 공여름

"체육복 이후로는, 별 일 없어?"

지수가 진지한 표정으로 물었다. 나도 모르게 자세를 고쳐 앉게 되었다.

"사실, 안 그래도 말 하려고 했거든……."

"무슨 일 있었구나. 저번 주 금요일이지?"

"저번주에 그렇게 내 표정이 안 좋았나?"

"아니, 그런 건 아니고. 그날 집중을 못 하는 거 같더라고. 그 사건 이후로 내가 좀 더 예민해진 것도 좀 있어서."

"점점 나한테 다가오고 있는 느낌이야. 그러니까, 기분 탓일지도 모르는데……."

"점점 다가오고 있는 느낌이라고? 무슨 말이야?"

"그러니까, 저번 주 월요일에……."

월요일 저녁, 학교를 지나다가 눈에 띄는 교실을 발견했다. 어두운 밤에 그 교실에만 불이 켜져 있었다. 복도 맨 끝이었다. 누군가 문을 닫는 게 보였다. 긴 머리의 학생인가? 선생님? 나도 모르게 눈살을 찌푸리고 의문의 여자를 주시했다. 어두운 복도에서 잠시 여자의 모습이 사라졌다가, 곧이어 계단의 센서 등이 하나씩 켜졌다. 위층에 도착한 여자는 반대쪽 복도를 달려 시야에서 사라졌다.

"뭐지?"

두고 온 준비물이 있는 학생인가, 싶었다.

'밤에 혼자 학교 가면 안 무서울까……?' 시답잖은 생각을 하며 다시 집으로 발걸음을 돌렸다.

그리고 다음 날, 학교에 가서 어제의 일을 다시 떠올렸다.

"여름아, 무슨 일 있어? 표정이 안 좋은데?"

"아, 그랬나? 별 거 아니야! 먼저 내려가 있어!"

하긴, 별로 친하지 않은 반 친구도 눈치 챌 정도로 계속 불안해했으니 지수가 이상한 점을 눈치채는 건 당연한 일 일지도 몰랐다.

"자물쇠 방향이······."

물건을 잃어버리는 게 징크스이다 보니, 남들은 모를 사소한 것 하나하나에도 자주 신경 쓰게 되었다. 예를 들어 자물쇠는 꼭 비밀번호 키가 안 보이는 방향으로 잠근다거나. 그런데 그 날 내 사물함의 자물쇠는 반대 방향으로 되어있었다. 내가 방향을 헷갈릴 리는 없다. 몇 년째 이어지던 습관이니까. 불미스러운 일들이 연속적으로 벌어지니, 점점 불안했다. 아무도 없는 빈 교실에서, 나와 자물쇠만 보이고 교실이 온통 까맣게 변했다. 점점 심장이 빨리 뛰었다. 문자로 시작해서 체육복, 이젠 사물함 열쇠를 열기까지 했다. 비밀번호는 어떻게 알고 있는 걸까?

문자로 오는 욕설의 수위는 점점 높아졌다. 읽지 않은 많은 디엠 창 중에 항상 가장 맨 위에 떠있는 게 그 사람이었다. 항상 계정과 아이디를 바꿔서, 평범한 팬인 척 디엠을 몇 번 보내고는 꼭 마지막엔 숫자를 보낸다. 그리고 그 숫자들을 하나씩 합치다 보면 우리 집의 도로 명이거나, 학원의 주소, 내 전화번호 등이 나오는 식이다.

지수에게 말 하는 것도 무서웠다. 지수에게까지 피해를 줄까 봐. 나 혼자 힘든 게 낫다고 생각했다.


"그런 일이 있었으면 나한테 먼저 말을 했어야지! 왜 말 안했어?"

"난 너 생각해서 그런거잖아. 왜 말을 그렇게 해."

"내가 몇 번 말해, 난 괜찮다고, 도와준다는데 왜 그러는데?"

지수가 언성을 높였다.

"······."

"이 시기에 너랑 싸우고 싶진 않아. 나중에 다시 연락할게."

바닥을 보며 아무말도 못하고 있을때 지수가 문을 열고 나가는 소리가 들렸다.

눈을 감고 생각했다.

'어디서부터 잘못된 걸까? 내가 이 일을 의식하기 시작한 순간부터?'

차라리 아예 신경을 쓰지 않는 게 좋았을지도 모른다.

주소 같은 건 내 주변 사람들이라면 알 수도 있는 거고, 내가 너무 예민하게 구는 건가?

'왜 이 일에만 이렇게까지 신경 쓰는 거지? 정도가 심해서 인가?'

한 번도 근본적인 것에 대해서는 생각해보지 않았다는 생각이 들었다. 이런 일을 벌인 사람은 날 잘 알고 있는 사람이다.

가까운 사람이 범인일 수도 있다는 생각을 하니 소름이 돋았다.

내 주소를 알고, 내가 다니는 학교, 나의 반, 번호를 아는 사람. 점점 머릿속에서 사람들이 하나 둘 없어지고, 마지막 이름 하나가 남았다.

그대로 도망치듯 카페를 나온 나는 미친듯이 학교로 달려갔다. 손에 쥔 목도리를 두를 생각도 못하고 뛰었다. 차가운 바람에 볼이 얼얼했다. 언젠가부터 조금씩 떨어지는 눈에 미끄러질 뻔하기를 몇 번. 숨을 헉헉대며 도착한 학교는 고요했다. 당연한 일이었다. 머리가 어떻게 된 것 같은 기분에, 차라리 이 바람과 한기에 내 생각이 멈췄으면 좋겠단 생각이 들었다. 머리부터 발끝까지 모두 얼어버릴 것 같은데 어딘가로 들어갈 생각은 하지 못했다. 정말 한기에 생각이 멈춰버리고, 그 자리에서 오랫동안 서 있었다. 차가운 이 겨울이, 오랫동안 끝나지 않을 것 같았다.

도착한 곳은 학원 앞이었다. 그대로 목도리를 쥐고 개인 연습실로 향했다. 얼어서 잘 움직여지지도 않는 손으로 히터를 틀고 몸을 녹였다. 연습실의 동그란 러그 위에 앉아서 눈을 꾹 감았다.

이름이 더욱 뚜렷하게 머리에 떠올랐다. 어서 연습을 해야 한다고, 오디션이 더 중요하다는 생각을 하면서도 지수에 대한 생각이 멈추질 않았다. 머리가 터질 것 같았다.

때마침 핸드폰에서 다이렉트 메시지 알림이 울렸다.

협찬 받는 회사의 새 제품 광고 요청이었다.

전에는 문자나 전화가 온 걸 보고 심장이 내려앉는 일도, 어떤 내용일지 확인하기 전까지 마음 졸이는 일도 없었다.

무서웠다.

지수가 범인이라는 게 무서운 건지, 나한테서 멀어지는 게 무서운 건지 모르겠다. 모든 정황을 따라가보면 그 끝에 있는 건 분명 지수였다.

바깥에 쌓인 눈처럼 또 다시 머릿속이 새하얘졌다.


나도 이미 느끼고 있었다. 지수가 언제부턴가 나와 거리를 두기 시작했다는걸. 이유도 모른 채 지수의 마음 속 울타리 밖으로 밀려났었다. 내가 노력하면 된다고 생각하고, 계속 다가가려고 했다. 그 시기는 서로의 마음 깊숙이 숨겨진 채로 지나갔다. 아무도 말하지 않았고, 암묵적으로 말해선 안되는 주제가 되어버렸다.

이제 와서 자꾸 그 때의 일이 떠오르는 것은, 이제는 그 때를 제대로 마주봐야 할 시기가 온 거라는 뜻일까?

## 7. 의심 - 공여름

연습이라도 하며 머리를 식혀야겠다고 생각하며 복도로 나갔다. 그리고 연습실 앞에 있는 캐비닛을 열고 대본을 꺼내려고 했다.

체크무늬 담요, 세면도구와 머그컵, 학원용 필통, 그리고 대본을 넣는 파일, 몇 개의 대본들. 모든 게 제자리에 있는데, 한 개의 대본이 없었다. 지금 준비하는 오디션의 대본이었다. 당황해서 캐비닛의 물건들을 뒤적이고 있을 때, 누군가 나에게 다가왔다.

"공여름? 오랜만에 보네, 뭐 찾아?"

작년에 우리 학원에 들어온 윤주였다.

"아, 윤주구나. 그게……, 대본이 어디 있는지 모르겠어서……."

'없어졌다' 라는 말은 쓰지 않았다. 그러면 정말 영영 찾을 수 없게 될 것 같으니까.

"혹시 이번 오디션 대본?"

"응."

"엥? 너 못 받았어?"

"못 받았냐고? 대본을?"

"응, 네가 지금 찾는거! 저번 주 금요일에 박지수가 꺼내가는거 봤는데?"

"어?"

멍청하게도, 나오는 말은 '어?' 뿐이었다.

"너 주려고 꺼내 가는 줄 알았는데……. 저녁에 잠깐 연습 나왔다가 봤어."

"아, 그래?"

"너 괜찮아?"

"응. 알려줘서 고마워."

어리둥절한 표정을 짓는 윤주에게 아무렇지 않게 인사를 하고, 도망치듯 학원을 나왔다. 엘리베이터를 기다리는 시간에도 몸을 움직이지 않으면 숨이 막힐 것 같아서 계단으로 뛰었다. 정신없이 계단을 내려가는 와중에 내 핸드폰이 연습실에 있다는 것과, 히터를 끄지 않았다는 사실이 떠올랐지만 중요하지 않았다.

다시 눈 내리는 풍경속으로 뛰어들자, 현실감이 눈송이 하나하나처럼 내 몸 위로 떨어져 녹았다.

어서 빨리 집으로 가, 모든 걸 깨끗하게 씻어내고 싶었다.

이제는 피하고 싶어도 피할 수 없는 상황이 되었다. 어제 밤, 눈을 맞으며 집에 간 후로, 도저히 핸드폰을 가지러 학원에 갈 엄두가 나지 않았다. 결국 다음 날 아침, 이십 분 치의 잠을 포기하고 학원에 들러, 핸드폰을 찾았다.

-오늘 학교 끝나고 잠깐 볼래?

혹시라도 내 마음이 바뀔까 싶어, 재빨리 채팅창을 열고 지수에게 문자를 보냈다. 같은 교실에 있지만, 아직 얼굴을 보고 말을 걸 용기는 없었다.

-종례 끝나고 집 가기 전에 잠깐 봐.

기다렸다는 듯 담백한 지수의 말투가 담긴 문자가 도착했다. 체크 표시 하나를 문자에 달아 두어 답장을 대신하고, 핸드폰을 제출했다. 점점 이상한 감정이 올라오려고 하자, 재빨리 자리에 앉아 교과서를 폈다.

7교시가 이렇게 빨리 지나간 적은 처음인 것 같을 정도로 시간이 빨랐다.
"가자."
어느샌가 옆자리로 온 지수의 목소리가 들렸다.
"집에 같이 가게?"

"나도 말 할 거 있어."

"그래, 그럼."

아무 말없이 걷다 보니, 마지막으로 만났던 카페를 지나고 있었다. '오히려 처음 보는 사람이 더 편할 것 같아…….' 낯을 가리는 성격인 내가 이런 생각을 할 정도로 어색한 분위기였다.

"너."

내가 말하자, 지수가 내 쪽을 쳐다봤다.

"나?"

"응. 너…… 아니지?"

목소리가 떨리는 걸 지수가 눈치채지 않길 바랐다.

"뭐가?"

나도 지수를 돌아보자, 아무것도 모르겠단 표정으로 서 있었다.

다시 심장이 덜컥 내려앉았다. 이제서야 내가 이 이후의 상황을 생각해 본 적 없다는 사실이 떠올랐다. 지수가 범인이 아니라면, 이제 뭘 해야 하지? '널 의심 했었어.' 같은 말을 하면……. 상상만으로 머릿속엔 이미 최악의 상황들이 펼쳐졌다.

"공여름? 뭐 말하는 거야?"

"아, 별 거 아니야! 그냥……, 학원에 두고 온 게 있는데 혹시 네가 가져 갔나 해서…"

"혹시 그거 중요한 거야?"

내가 말을 끝마치자 마자 지수가 재빠르게 물었다. 그 순간 '아, 뒷말은 하지 말 걸.' 하고 후회했다. 지수가 범인 아닌 걸 알았으니 된 건데.

"어? 아,아니?? 중요한 거 아냐! 괜찮아."

지수가 날 의심의 눈초리로 보고 있는 게 느껴졌지만 애써 둘러댔다.

"뭐……, 그 말 하려고 부른 거야?"

"어? 아니, 난 그게 아니라……."

침을 꿀꺽 삼켰다.

"학원 다 왔어. 네가 궁금했던 건 다 해결된 거지? 먼저 들어 갈게."

지수는 내 대답을 마저 듣지 않고 학원 건물 안으로 들어갔다. 자칫 차가워 보이는 외모 때문인지, 자신의 편이 아닌 사람에게는 외모처럼 차가워지는 말투 때문인지, 한기가 드는 듯한 착각이 들었다.

내 편일 때는 한없이 다정하게 느껴지던 말투와 표정이, 점점 멀어지는 것 같았다.

'어떡하지…….'

머릿속에서는 한기를 넘어선 폭풍이 불고 있었다. 떨어지지 않는 발걸음을 떼며 학원으로 따라 들어갔다.

## 8. 오해 - 박지수

학교에서 들은 말에 대해 생각하며 학원으로 향했다.
아까의 상황을 다시 떠올릴수록 점점 의문만 늘어갔다.

"저기, 네가 박지수 맞아?"

"네? 아, 맞아요."

"나 여름이 아는 언니야! 혹시 여름이한테 내 얘기 들은 적 있어?"

"아, 입학식 때 여름이랑 같이 마주쳤던……?"

"맞아! 기억하고 있었구나! 혹시, 나 좀 도와줄 수 있어? 곧 여름이 생일
이라서 서프라이즈 파티 해주려고 하는데……, 같은 학원 다닌다고 했지?
여름이 대본 좀 잠깐 빌려줄 수 있을까? 아, 여름이 한테는 비밀로 하고!"

"네?"

아무리 봐도 도둑질을 하라는 말로 밖에 들리지 않아서 다시 되물었다.

"이상하게 들릴 거 아는데……, 여름이가 요새 일이 많잖아, 조금이라도
스트레스 풀게 해주고 싶어서……."

이 말이 아니었으면 지금 학원으로 가는 일도 없었을 거다. 여름이의 걱
정을 덜어주겠다는 마음은 공감하니까. 그렇지만 대본으로 뭘 하려는 지
는 알 수 없었다.

'파티 끝나면 제가 도와줬다고 말 해도 되죠?' 하는 말에 기겁하며 안된
다고 말하던 언니의 얼굴이 떠올랐다. 하지만 여름이가 좋아하는 언니니
까, 믿어도 되겠지? 라고 생각했다. 이걸로 여름이의 스트레스가 조금이
라도 풀리지 않을까 싶었다. 그렇게 학원 캐비닛에서 여름이의 대본만 꺼
내 학원을 나섰다. 내가 계획한 일도 아닌데 머릿속이 복잡했다. '대본은
한 이틀정도면 된다고 했고, 여름이는 내일은 안 올 거고, 그 다음 날도

저녁에야 오니까……, 점심시간에 잠깐 나오면 되겠다.'

머릿속으로 시뮬레이션을 돌린 후에, 학교로 가서 언니의 사물함에 대본을 넣었다. 여전히 조금 찝찝한 구석이 있었지만, 여름이가 기뻐할 생각을 하니, 그런 의심도 사라졌다.


"맞아, 나 너한테 물어볼 거 있었어."

"응? 뭔데?"

연기학원에서 가깝게 지내는 친구들 중 한 명인 윤주였다.

"너, 여름이랑 뭔 일 있었어?"

"그건 왜? 별 일은 없는데……."

"여름이가 얼마 전에 대본 찾는 걸 봤는데……."

윤주가 말 끝을 흐렸다.

"대본을 찾았다고? 언제?"

"저번 주인가? 그래서 내가, 너한테서 못 받았냐고 물어보니까 엄청 놀라더라. 대본 왜 가져간 거야?"

'저번 주에 대본을 찾았다고?' 내가 대본을 꺼내서 언니에게 준 게 열흘 전의 일. 그리고 정확히 이틀 후, 언니는 자기가 대본을 여름이의 캐비닛에 넣었다고 말했다. 분명 대본은 캐비닛 속에 있어야 한다.

"그래? 여름이 주려고 가져간 건 아니긴 한데……, 말해줘서 고마워."

윤주는 양 갈래로 높게 묶은 머리를 찰랑이며 인사를 하고 학원으로 들어갔다.

"그래, 뭐~ 싸우지만 말고! 파이팅!"

'여름이 같이 꼼꼼한 성격이, 캐비닛에 있는 대본을 못 봤을 리는 없어.' 그제서야 여름이가 며칠 전, 하교 후 나에게 했던 말도 이해가 간다.

'내가 대본을 가져간 걸 알고 있었던 거야…….'

학원으로 가려던 발걸음을 돌려 여름이네 집으로 향했다.

## 9. 서로의 마음 - 공여름

집에 돌아와서 어떻게 하면 오해를 풀 수 있을지 한참을 고민했지만 결국 내가 할 수 있는 말은 '널 의심 했었어.' 밖에 없었다.

'지수가 나한테 화내도 할 말은 없지.'

그런 생각을 하고 있을 때, 전화벨 소리가 울렸다.

"여보세요?"

-난데, 전에 말 하려고 했던 거 지금 말해도 돼?

지수였다.

"응, 뭔데?"

-혹시 최근에 인애 언니랑 연락한 적 있어?

"어? 요즘은 연락 안 한지 좀 됐어. 너한테 얘기한지도 좀 된 것 같은데. 왜 그래?"

-그치? 얘기 길어질 것 같으니까, 지금 너희 집으로 갈게.

"그래, 알았어."

통화는 그렇게 간단하게 끝났다.

"무슨 얘기를 하려는 거지……."


"이거 얼마 전에 산 건데. 마실래?

"아, 고마워."

소파에 등을 기대고 앉은 지수 앞에 코코아 한 잔을 타서 놓아주고, 난 맞은 편에 앉았다.

"그래서 할 말이 뭔데?"

"이것도 그냥 추측이야. 가볍게 들어줘."

"응, 알겠어."

"내가 대본 가져간 거, 윤주한테 들었다며? 나 아니냐고 물어본 것도 그

거 때문이야?"

오히려 지수가 먼저 말을 꺼내 주니 내가 해명하기도 쉬웠다.

"너 의심해서 미안해. 여러가지 일들 겪고 나니까 힘들어서……. 아닌 거 알고 있었어."

지수는 그제야 웃으며 고개를 저었다.

"아냐, 괜찮아. 이해해. 나도 그날 네 말 안 듣고 먼저 올라가서 미안해. 좀 당황해서……."

지수는 그렇게 말하고 잠시 고민하는 듯하더니 다시 입을 열었다.

"인애 언니 말이야, 사실 얼마 전에 만났었거든."

그 말을 시작으로 지수가 해준 말들은 충격적이었다.

"나도 책임이 있는 것 같아서……. 언니랑 네가 많이 친했잖아. 그래서 믿었어. 언니가 진심인 거 같아 보이기도 했고, 너도 스트레스 풀 수 있을 거 같아서……."

언니와 입학식 날 만난 이후로 일주일간은 어찌어찌 연락을 이어갔지만, 어딘가 변한 언니를 대하는 게 어려워서 서먹해진 사이로 연락이 끊겼던 기억이 있다. 서프라이즈 파티라는 말을 들으니, 언니가 그런 생각을 한 것도 무리는 아니었다. 나에겐 언니의 서프라이즈 파티로 인한 좋은 기억이 있으니까. 그런데 내가 요즘 이상한 일들을 겪고 있다는 건 언니에게 말 한 기억이 없었다. 지수는 내가 말했다고 생각 했겠지만, 아니었다. 첫 번째 의문점이었다.

"서프라이즈 파티를 준비한다고 했다는 거지?"

"응. 근데 대본이 왜 필요한지는 끝까지 안 알려 주더라고. 조금이라도 의심스러웠을 때 그만 뒀어야 했던 건데."

"아냐! 네가 나 위해서 해준 거잖아. 뭔가 착오가 있던 게 아니라면……, 인애 언니랑 얘기해봐야 할 거 같아."

지수는 내 말에 심각해진 표정을 풀며 대답했다.

"근데 혹시, 전에 누가 사물함 건드린 거 같다고 했던 거, 정확히 언제였는지 기억나?"

"그 날 점심 먹고 체육 준비하고 있었으니까 아마 수요일이었던 거 같은데…….."

"혹시 인애 언니가 그런 거 아닐까? 나한테 부탁한 게 금요일이니까, 네가 대본을 사물함에 두고 다닌다고 생각했다가, 없으니까 나한테 온 거고. 사물함 비밀번호는 어떻게 알았는지는 모르겠지만…….."

지수는 망설이며 마지막 말을 덧붙였다.

"크게 보면, 인애 언니가 관련이 되어 있을 가능성도 아예 없진 않은 것 같아. 수상한 점이 한 두가지가 아니니까. 네가 전에 학교에서 봤다고 한 사람 실루엣도 긴 머리였다며. 인애 언니도 긴 머리잖아."

지수의 말을 들으니 머릿속에서 하나 둘 씩 새로운 정보가 머리속에서 정리 되는 것 같았다.

'지수만큼 나를 잘 아는 사람……. 인애 언니야. 지수 말이 어느 정도는 맞을 수도 있어.'

마음은 힘들고 머리는 복잡했지만, 든든한 내 편이 돌아왔다는 사실 하나만으로 알게 모르게 조금은 안심이 되었다.

# 10. 가슴에 꽂히는 말 - 공여름

"여름아, 이거 진짜야?"

지수와 화해하고 일주일쯤 후의 어느 날. 인사만 하는 사이인 나연이가 대뜸 말을 걸어왔다. 나연이는 키링이 주렁주렁 달린 핸드폰을 내 앞에 들이밀었다. 그 핸드폰 속에 보이는 건 여러가지 말들로 나를 욕하는 내용이었다. 나도 가끔 들락날락 했던 아이돌 팬들의 수다 방 사이트였다.

[너네 공여름이라고 앎??]

흔히들 말하는 클릭을 유도하는 짧은 제목 옆엔 높은 조회수를 뜻하는 빨간색 왕관이 떠 있었다. 좋은 게시글은 아닐 것이다. 대다수의 사람들은 누군가를 칭찬하는 것보다 욕하고 물어뜯는 걸 더 재밌어 하니까.

[모르는 애들 많을 걸. 엄청 유명한 애는 아닌데, 어릴 때부터 연기천재 소리 들었었거든. 팔로워도 많고 얼굴도 예뻐서 몇 년 전부터 팔 하고 있었는데, 얼마 전에 친구랑 얘기하다가 걔 얘기가 나왔거든? 근데 미친, 내 친구랑 공여름이랑 같은 중학교를 나왔다는 거야. 그러면서 이 영상 보내줌; 인스타 아이디 달아 둘게. 영상 보고 인스타 보니까 진짜 착한 척 오지더라]

사실적인 문체로 쓰인 글을 단숨에 읽어 내려갔다.
'영상? 무슨 영상 말하는 거야? 나랑 같은 중학교에 다녔다고?'

반 아이들 모두가 나와 나연이를 쳐다보는 게 느껴졌다. 손에 땀이 났다. 스크롤을 내려서 영상을 확인하기도, 고개를 들어 반 친구들의 얼굴을 확인하기도 무서웠다. 손이 떨리면서, 눈 앞은 새하얘졌다.

"야, 야! 괜찮아? 링크 보내줄 테니까 봐 봐."

나연이의 표정에서 순간 '아, 괜히 말했다.' 하는 표정이 스쳐가는 걸 봤다. 겨우 고개를 끄덕인 후 주머니에 핸드폰이 있는 걸 확인하고 그대로 뒷걸음질 쳐서 교실 밖으로 나왔다. 동시에 1교시가 시작되는 종이 울렸지만 들리지 않았다. 빠른 걸음으로 체육관으로 올라가는 길 가장 구석에 있는 벤치를 찾아 앉고, 서둘러 핸드폰을 켰다. 나연이의 아이디를 찾아 검색하자, '주나연' 이라고 쓰인 채팅창이 하나 보였다. 2분 전에 온 디엠 한 개가 보였다. 아까와 똑같은 제목의 게시글을 클릭했다.

"네가 먼저 내 지갑 건드린 거 맞잖아!!!"
영상이 시작되자, 쩌렁쩌렁 울리는 목소리에 놀라서 황급히 소리 줄임 버튼을 눌렀다.
영상 속에 있는 건 나였다. 머리가 길고, 어두워서 잘 보이지는 않지만 짙은 초록색 교복 자켓에 조끼, 그와 비슷한 색상이 섞인 무릎까지 오는 치마를 입고 있었다.
내 얼굴이 비스듬히 보였고, 나와 이야기를 하는 상대방은 뒷모습만 살짝 걸쳐져 있어서, 나와 같은 교복이라는 것과 짧은 머리라는 것 밖엔 알 수 없었다.
"너 왜 그래? 너 지금 걔 말 믿어? 나 진짜 아니야."
"뭐가 아닌데. 니가 우기는 거잖아!!"
영상 속의 나는 악을 쓰며, 심지어 친구를 발로 차기까지 했다. 온갖 욕을 하며 "그렇게 살지마." 라는 말을 마지막으로 남기는 뒷모습이 보였다.
그리고 그 순간 영상이 끊겼다.

영상 속 아이는 내가 맞다. 하지만 나는 아니다. 이건 진짜 내 영상이 아니라, 언젠가 찍었던 웹드라마의 한 장면이었다. 정확히는 편집된. 이것도 그 사람이 벌인 일 인건가? 지금은 내 감상보다 사람들의 반응이 더 중요했다. 두려움과 불안이 온 몸을 엄습했다. 미친듯이 디엠이 오기 시작했다. 날 팔로우 하던 사람들은 이 소식을 빠르게 접하고 유일한 소통창구인 디엠으로 달려온 것이다. 내 영상이 있는 게시글의 댓글 창도 술렁였다.

↳ 언니, 이 영상 진짜예요?? 아니죠??
↳ 공여름ㅋㅋㅋ 지 혼자 착한 척은 다 하더니 어떡하냐ㅋㅋ 같은 학곤데, 복도에서 볼 때마다 쎄하다 싶었음ㅋㅋ;
↳ 말하는 거 봐라, 이런 애가 뭔 연기냐..
↳ 근데 저 영상 앵글이 좀 이상하지 않음? 몰래 찍을 수 있는 앵글이 아닌디? 친구도 같이 저 배우라는 애 한테 당한 거⋯⋯? ㅋㅋㅋㄱㅋ
　↳ ㅋㅋㅋ 이게 맞다.. 몰래 찍는데 저렇게 완벽한 앵글이 어케 나옴?

'무서워⋯⋯'
　내가 건드릴 수 없는 부분까지 날 나쁜 사람으로 놓은 것 같아서 무서웠다. 내가 할 수 있는 건 가만히 앉아서 당하는 것 밖에 없었다.
　욕설 문자가 시작된 날부터, 일상이 통째로 흔들렸다. 뭘 하든지 그 문자를 생각하면 일이 손에 잡히질 않았다. 계속 울리는 디엠 창에, 스크롤을 내릴수록 점점 두려움만 더해졌다. 그러면서도 사람들의 글을 읽는 걸 멈출 수 없었다.
　'나는 배우가 될 거니까⋯⋯. 당연한 거야. 이 정도는 다들 견디는 거니까⋯⋯.'
　내가 배우라는 꿈을 바라보는 건지, 사람들의 평가만 중요하게 생각하는 건지 알 수 없었다. 거짓된 정보를 믿는 사람들의 말로 온 몸이 굳어서 한 발자국도 움직일 수 없었다.
　다른 친구들은 수업을 하고 있을 시간, 텅 빈 것처럼 느껴지는 학교 안에서 나 혼자만 이방인이 된 것 같았다. 내가 서 있는 곳을 기준으로 동그란 원이 그려지고, 그 원 주변을 이상한 글씨들이 감쌌다.

　마치 '너는 이 원에서 나갈 수 없어. 이 영상의 주인공은 너야. 너는 원래부터 이런 사람이야.' 라고 말하는 듯이.

[언니 진짜 좋아했는데 실망이에요.]
[얘 이제 학교에서 고개 못 들고 다니겠다ㅋㅋ 배우는 물 건너 갔네ㅋㅋ]

　이건 내가 아닌데, 다 오해인데, 어서 그 사실을 알려야 하는데. 라는 생각만 들뿐, 그저 멍하니 단어 사이에 갇혀 있었다. '배우는 물 건너 갔네' 라는 말보다 '실망이에요' 라는 말이 더 가슴을 파고들었다.

　사람들의 보이지 않는 시선이 온 몸을 옥죄는 기분이었다. 주먹을 쥐었다, 풀었다 하며 이 상황에서 벗어나보려 애썼다. 그렇지만 내 눈에 담기는 검은 말들은 계속 늘어나고, 나는 결국 그 속에 잠겨버렸다.

## 11. 보지 않는것 - 박지수

여름이가 이상하다고 느낀 건, 조회 시간 후였다. 평소에도 핸드폰을 잘 내지 않던 주나연이, 여름이에게 본인의 핸드폰을 건네는 걸 봤다. 여름이는 무언가를 보더니 사색이 된 채로 나연과 몇 마디를 나눈 후, 교실 밖으로 나갔다.

3교시 체육 시간. 여름이가 수업을 듣지 않는 건 흔한 일이 아니다. 지금이라도 찾으러 가 봐야 할 것 같은 생각에 체육관에 가기 전 학교를 한 바퀴 돌았다. 그 때, 계단을 올라가는 여름이가 보였다. 종이 치는 바람에 체육관 안으로 들어가며 시선으로는 여름이를 쫓았다.

아니나 다를까, 체육 수업과 그 후의 과학 수업을 마치고 잠시 교무실에 들러 핸드폰을 켜보니 여름이에게 문자가 와 있었다.

[나 조퇴해서 방금 집에 도착했어. 오늘 안에 인스타에 글 올릴 것 같아. 말 안 하고 나와서 미안.]

'인스타에 글을 올린다고? 역시 아까 주나연이 뭘 보여준 건가?' 친하지 않은 주나연에게 말을 거는 건 어색했지만, 다행히 자초지종을 들을 수 있었다. 문제의 그 영상을 보니, 여름이에 대한 온갖 욕설 댓글들이 가득했다.

이 영상을 보고 동요하지 않았다면 거짓말이겠지만, 여름이는 이런 사람이 아니다. 내가 아는 여름이와는 너무도 다른 모습에 당황한 것도 잠시, 이 영상이 촬영 상황이었음을 깨달았다. 여름이가 영상 속에서 입고 있는 초록색 교복은, 여름이가 데뷔했던 웹드라마의 의상이다. 그 드라마는 나도 봤으니까, 이 정도는 금방 눈치챌 수 있었다. 이 영상은 그 드라마를 오해하기 좋게 편집한 것이었다.

사람들은 보이는 것에만 집중한다. 이면에 어떤 얼굴이 있는지에 대해서는 대체로 무관심하다. 이면의 얼굴이 진실일지라도.

점심시간이 끝나는 종이 울렸다. 그제서야 급식도 먹지 않고 계속해서 댓글만 살펴봤다는 걸 깨달았다.

학교가 끝나니 여름이의 에이전시에서 두 시간 전에 올린 새 게시글과, 그에 따른 반응이 보였다. 이제서야 웹드라마를 봤다는 사람들이 나타나며 여름이를 옹호했다. 아직 몇몇 악플들이 보이기는 했지만, 아까 보다는 훨씬 상황이 나아진 것 같아 다행이란 생각을 하며 집으로 발걸음을 옮겼다.

여름이에게서는 그 이후로 연락이 없었다. 전에 있었던 일을 찬찬히 생각해 보았다. 인애 언니를 처음 만나고, 그 사람의 부탁을 들어주고, 무언가 이상한 걸 눈치챘을 때 누군가 영상을 올렸다. 마치 최후의 보루라는 듯이. 정말 인애 언니가 그랬을 가능성이 높다고 생각하니, 여름이가 더 걱정되었다. 나보다 더 오래 알고 지낸 사람이 그랬다는 걸 깨달았을 때 얼마나 힘들어 할지 눈에 훤했다.

## 12. 믿고 싶지 않은 사실 - 공여름

머리가 아프다는 핑계를 대고 2교시까지 누워 있다가, 3교시 체육시간에 아이들이 모두 나갔을 때 교실로 살며시 들어갔다.

아까처럼 검은 말들에 갇히고 싶지 않았다. 한동안 가만히 굳어 있다가, 어느 교실에서 들리는 장난스러운 비명소리에 고개를 들었다. 그 자리를 벗어나 보건실로 뛰어가, 터질 것 같은 생각을 정리했다. 정리라고 해봤자 해결된 건 없지만. 땀이 나는 손으로 쥐고 있어서 젖은 조퇴증 종이를 잠시 책상에 내려놓고, 가방을 챙겼다.

'핸드폰이 꼭 필요할까?'

알림 오는 소리 하나하나가 신경 쓰이고 무서웠다.

'적어도 노트북은 알림이 울리진 않으니까⋯⋯.'

핸드폰 전원을 끄고, 사물함 속에 넣었다. 비밀 번호를 다른 걸로 바꾸는 것도 잊지 않았다. 교과서를 모두 사물함에 넣고 다니니까, 사물함을 열 때마다 비밀번호를 바꾸는건 쉽지 않았다. 대본 사건 이후로 생긴 버릇인데, 이래야 겨우 마음을 놓을 수 있다.

교실에서 아이들의 따가운 시선을 받으며 앉아있을 자신이 없었다. 나를 응원해주는 팔로워들과, 내가 나오는 드라마의 짧은 분량을 잊지 않고 챙겨봐 주는 사람들을 위해서라도 이 게시글이 거짓이라는 걸 알려야 했다.

가방을 챙기고 나오면서, 앞문을 활짝 열고 수업하는 교실들을 조심히 지나쳤다. '혹시 다들 그 게시글을 봤을까?' 그때였다.

"여름이니?"

"아, 네⋯⋯."

수학 선생님이었다. 내 조퇴가 이상한 일이라도 되는 듯이 물었다. 아이들이 모두 있는 교실 앞에 서서, 나를 향해.

"여름이가 조퇴하는 건 처음 보네?"

웃으면서 농담조로 던진 말이었지만, 웃을 수 없었다. 교탁 바로 앞 자리에 앉은 그 반의 반장과 아이들 몇몇이 서랍 밑으로 핸드폰을 꺼내 보고 나를 흘겼다. 그들이 진짜 그랬는지, 내 착각인진 모르겠지만 늘 아이들의 입이 열릴 것 같았고, 나에게 욕을 쏟아 부을 것 같았다. 그대로 눈을 꾹 감고 도망치듯 뛰었다. 선생님의 말에 대답을 할 여유도, 인사를 할 여유도 없었다. 교실에서의 평온은 폭풍 전야였다는 듯이, 다시 생각이 휘몰아쳤다.

-나 조퇴해서 방금 집에 도착했어. 오늘 안에 인스타에 글 올릴 것 같아. 말 안 하고 나와서 미안.

책상 앞에 앉아서 노트북의 메신저 앱으로 지수에게 문자를 보낸 후, 집 전화로 에이전시 대표님에게 전화를 걸었다. 심장이 쿵쾅쿵쾅 뛰었다.

일은 잘 진행되었다. 이미 그 게시글을 본 대표님은 감독님과 연락을 하는 중이었고, 그 날 저녁에 해명글을 올렸다. 감독님이 가지고 있던 무편집본으로 웹드라마의 장면이라는 걸 보여주고, 내가 받았던 대본에서 영상에 나오는 부분을 찍어 올렸다. 그리고 내 상대역을 맡은 배우의 대본까지 공개하면서, 해명 글은 더욱 빠르게 퍼졌다.

하지만 아직도 불안했다. 결국 그 사람들이 다시 돌아오지 않으면 어쩌지, 하는 생각이 머리를 뒤덮고, 모든 게 내 잘못인 것 같았다. 일은 해결됐지만, 내가 들은 말들은 머릿속에 박혀서 빠져나오지 못하고 있었다. 아까 미뤄뒀던 생각들이 다시 찾아왔다. 아까의 조용했던 학교처럼, 내가 앉아있는 방은 아무 소리도 들리지 않고 조용했다. 머릿속에서만 수많은 사람들이 떠드는 것 같았다.

'그 영상을 누가, 어떻게, 왜 가지고 있을까?'

이 생각을 할수록 온 몸에 소름이 돋았다. 내가 무편집본 영상을 가지고 있었는지도 잘 기억이 나지 않는데, 다른 누군가가 이 영상을 어떻게 가지고 있는 걸까? 이 게시글도 그 사람의 짓이라면, 내 주변 사람이겠지.

'그 때 내가 올린 게시글을 볼까.'

내 인스타그램 페이지에 들어가서 스크롤을 내렸다. 점점 연도가 바뀌더니, 마지막 웹드라마 촬영장을 찍은 사진과 간단하게 [끝!] 이라고 적힌 게시글이 보였다. 그 게시글에는 6장의 사진이 첨부되어 있었는데, 첫 번째, 두 번째, 세 번째 장은 촬영장의 모습을 찍은 사진이었고, 네 번째 사진은 내 대본의 표지를, 다섯 번째 사진은 같이 촬영한 배우분들, 스태프 분들과 찍은 단체 사진이었다. 마지막 장에는 촛불이 켜진 작은 케이크 사진이 있었다. 어두운 밖에서, 작은 파티를 하는 사진이었다. 인애 언니가 케이크를 가지고 날 찾아온 날의 사진. 그 때 언니에게 했던 말이 생각났다. 열쇠고리를 잃어버렸다는 말. 또 다시 온 몸에 소름이 돋았다. 심증과 물증 사이에서 아슬아슬한 증거들이 한 사람을 가리켰다.

내가 그 때 잃어버린 물건은 열쇠고리였다. 이 원 배우님께 받은. 그리고 그 열쇠고리에는 다른 기능이 있었고, 그 기능을 활용해 무편집본을 보관할 수 있었단 사실이 생각났다. 그 사실을 깨닫자 마자 모든 게 퍼즐 맞추듯 맞춰졌다. 머릿속은 이미 과거의 그 때를 되짚고 있었다.

"여름아. 근데 이건 뭐야? 그냥 평범한 열쇠고리 보다는 좀 큰 것 같은데."

언니가 케이크를 들고 찾아오기 며칠 전, 방과 후 시간이었다.

"안그래도 보여주려고 했는데! 그거. 이 원 배우님한테 받았어. 나도 몰랐는데 집에 가서 다시 보니까 USB였더라고. 이렇게 빼면 돼."

나는 직접 USB를 언니에게 보여줬다.

"진짜? 말 안 하면 모르겠다. USB디자인이 진짜 예쁘네."

"그치? 나 그래서, 여기다가 첫 촬영본 영상 넣어 놨어! 감독님이 따로 보내주셨거든. 데뷔작 첫 촬영은 두고두고 보면 도움이 된다고 하시더라고. 심지어 무편집본!"

가방에 넣고 다니면서 힘들 때 노트북에 꽂아 돌려보곤 했었다. 어느 순간 잃어버린 뒤로는 까맣게 잊었지만, 이걸 왜 이제 생각했나 싶을 정도로 생생히 떠올랐다. 그와 동시에 떠오른 인애 언니와의 기억. 이게 USB이고, 내가 여기에 영상을 넣어 다닌다는 걸 아는 사람은 인애 언니뿐이었다.

머리도 복잡한데, 마음도 복잡했다. 머릿속에서는 한 사람의 이름이 떠올랐다.

'설마 인애 언니가?'

이 영상을 퍼트린 사람은, 이 영상의 존재를 알고 있었던 사람이라고 확신할 수밖에 없다. 그건 인애 언니 뿐이다.

이 영상을 올린 사람이 인애 언니라면, 모두 인애 언니가 한 짓인가? 언니를 의심하면서도 전혀 배신감이 들지 않는 이유는, 마음 속 깊은 곳에서는 절대 언니일리가 없다고 생각하고 있었기 때문이다. 내가 아는 언니는 그 흔한 욕 한 마디도 하지 않는 사람이었다. 시계는 새벽 세 시 반을 가리키고 있었다. 여기서 더 생각하면 정말 머리가 터질 것 같았다.

다음 날 아침이 되자, 모든 진실이 밝혀져 있었다. 팔로워들은 안도했고, 다들 글을 올린 사람을 역추적 해 인스타그램 계정을 찾아냈다. 글을 올린 사람의 인스타그램 아이디는, 역시나 너무나도 익숙한 사람의 아이디였다. 범인을 찾으면 무슨 말을 해야 할지 생각해 본 적이 있는데, 막상 이 사람이 범인이야! 하고 알려주니 믿을 수 없었다. 분노와 배신감 보다는, 속상함과 당혹감이 밀려왔다.

## 13. 이유 혹은 변명 - 공여름

"여름아."

혼자 책상에 걸터앉아 있는데, 날 부르는 소리가 들렸다.

"왜?"

오늘 하루 종일 많은 말을 고르고 골랐지만 입에서 툭 튀어나온 말은 왜, 였다.

많은 의미가 담긴 질문이었다. 울고 싶은 기분이었지만 눈물은 나오지 않았다. 언니는 날 빤히 쳐다보더니, 복잡한 표정으로 한숨을 쉬었다.

"나는 언니 때문에 내 친구를 의심했어. 그러면서 나한테 무슨 문제가 있는 걸까 엄청 고민하고, 내가 할 수 있었던 오디션들도 다 놓치고…… 도대체 왜 그랬어?"

"네가 싫어서 그랬어."

"뭐?"

"넌 기억 못 하겠지. 너한테는 아무것도 아니었을 테니까."

내가 알던 언니가, 진짜 언니가 맞나? 지금 내 앞에 있는 언니는 나에게 익숙한 사람이 아니었다.

"아무것도 아니었다고? 무슨 말이야 그게?"

언니의 입에서 나온 말들은 충격적이었다. 언니가 날 위해 해줬던 조언들이 모두 진심이 아니었다는 말을 들은 순간엔 심장이 쿵 내려 앉았다. 연기학원에서 처음 만났다는 이야기도 처음 들어보는 말이었다. 내가 알던 세상이 한 순간에 뒤집혀버리니, 제대로 생각조차 할 수 없었다.

'애초에, 언니네 집이 이혼한 걸 몰랐어.'

언니가 자기 얘기를 잘 안 한다고 생각했던 적이 있다. 그렇지만 나 혼자 말하는 것도 아니었다. 언니는 내 말에 적당히 반응을 해주고 어떨 땐 위로를 해주며, 자신의 이야기를 숨겼다. 행복하다고 생각했던 때에 나에게 행복을 준 사람에게는 많은 일들이 벌어지고 있었다. 그렇지만 이건 내 잘못이 아니었다.

화가 났다. 언니의 말을 들으면 납득할 수 있을 거라고 생각했고, 그러길 바랐다. 내가 아무 잘못 없는 것보다, 사실 나도 모르게 언니에게 잘못한 게 있어서, 그래서 언니가 나한테 이런 짓을 한 거라고 믿고 싶었다. 나에게 언니는 너무 좋은 사람이었으니까.

"그게, 무슨 말도 안돼는 소리야? 그래서, 날 이렇게까지 괴롭힌 거야? 문자 보내고, 내 대본 뺏고, 영상 올리고?"

"응. 너도 나처럼 힘들어지길 바랐거든. 아무것도 모르는 주제에 연기 좀 잘 한다고 사람들한테 주목받는 거. 너한테는 당연하겠지"

"당연하다고? 내가 얼마나 노력했는지 알아?"

빈 교실에서, 내 목소리가 크게 울려 퍼졌다. 언니는 한동안 말이 없었다.

"그래. 네 말도 맞지. 그래서 이젠 이런 짓 안 하려고. 그동안은 네가 너무 미워서 그런 거였는데……. 너한테 이런 짓을 할수록 나만 갉아먹는다는 걸 알았으니까."

"그래서, 그게 다야? 사과해. 용서는 안 할 거야. 언니가 벌인 일이면, 언니가 책임져."

모든 것에 대해 머리 끝까지 화가 났다. 여기에 더 있다가는 정말 머리가 터질 것 같아서 견딜 수가 없었다.

"이제 다시 볼 일 없었으면 좋겠다."

한 때 정말 좋아했던 사람이 지금껏 날 힘들게 했다는 것도, 그 계기가 믿기지 않을 만큼 터무니없다는 것도 믿기 어려웠다.


어딘가 허무해 보이는 듯한 언니의 표정을 보여 교실을 나왔다. 나는 매일 욕설이 담긴 문자를 받고, 여러 일을 겪으며 온 종일 불안에 떠는 날도 겪어야 했다. 언니가 싫어졌지만, 중학교 시절의 추억도 모두 거짓이었다는 걸 받아들이는 데에는 시간이 걸릴 것 같았다.

　모든 사실을 알게 된 담임 선생님은 학교폭력 위원회는 충분히 열 수 있는 사안이라고 말해 주셨다. 나는 선생님의 물음에 "그 때를 다시 생각하는 것도 두렵고, 불편하게 언니를 마주보는 것도 싫어서요." 라고 깔끔하게 거절했고, 내 말은 인애 언니에게 전해진 것 같았다. 선생님과의 상담이 끝나고 며칠 후, 지수에게 인애 언니에게서 사과를 받았다는 말도 듣게 되었다.

　"그래서 알겠다고 했어. 확실히 안색이 안 좋긴 하더라. 하긴, 너한테 그런 짓을 해 놓고 얼굴이 좋으면 안 되지."

　질린다는 듯한 지수의 말투와 표정 때문에 웃음이 나왔다.

　아직도 문자 오는 소리를 들을 때면 무섭고, 자다 가도 가끔 악몽을 꾸고 벌떡 일어나기도 한다. 지나간 과거를 빨리 잊고 상처를 금방 아물게 할 수는 없겠지만, 과거에 지나치게 연연하지 않고 지금의 좋은 사람들에게 집중하는 법을, 점점 알게 되는 것 같다.

## 14. 평온해지는 마음 - 박지수

인애 언니가 나에게 사과를 하던 모습이 떠올랐다.

"미안해. 너한테 대본 가지고 와 달라고 한 거. "

진심인지 아닌지는 잘 모르겠다. 어딘가 빈 말처럼 느껴지기도 했다. 그렇지만 그걸 신경 쓸 여유도 없이, 이 지긋지긋했던 일들이 드디어 끝났구나, 하는 마음 뿐 이었다.

"아니요. 여름이랑 얘기 잘 끝내셨다고 들었으니까 전 상관 안 할게요. 아, 사과를 받는다는 건 아니에요. 저도 언니를 용서하지는 못 할 것 같아서요."

"……"

언니는 그렇게 뒤를 돌아 복도에서 벗어났다. 간결하고 단순한 사과였다.

'질투심 때문이었을까?'

감정은 때때로 큰 결과를 낳는다. 미워하는 감정이 나쁜 결과를, 좋아하는 감정이 좋은 결과를 낳는다고 단언할 수는 없겠지만. 언니가 여름이를 괴롭힌 게 질투심 때문이라면, 그 행동에 동의할 수는 없어도 감정에는 공감할 수 있었다. 가장 친한 사람에게 가지는 감정이 질투나 열등이라는 건 힘든 일이다. 나도 느꼈던 감정이고, 나는 혼자 어쩔 줄 몰라 피하기만 했던 마음을 언니는 행동으로 쏟아낸 거겠지. 옛날 일들이 생각났다. 여름이가 하는 말 하나하나를 굳이 나와 비교하려 하고, 굳이 내게서 못난 점을 찾아냈다. 사실 지금도 여름이에게 좋은 일이 생겼을 때 순수한 마음으로 응원해 주는 법은 잘 모르겠다. 내가 떨어진 오디션에 여름이가 붙으면, 질투심이 생기는 게 당연하니까. 하지만 이제는 그 때처럼 피하지 않고, 내 감정을 보살필 수 있게 되었다.

'질투하면 뭐 어때, 그럴 수도 있는 거지. 내가 여름이보다 잘 하는 게 없

는 것도 아니고.'

언니의 사정은 잘 모르겠지만, 난 여름이에게 힘이 되어 주고 싶었다. 여름이도 나에게 그런 말을 자주 하는데, 그럴 때마다 내 질투심은 눈 녹듯 사라진다. 여름이가 들어오는 것도 주저하던 내 마음의 문은, 이제 더 넓고 큰 문이 되었다. 문 주변의 풍경도 예쁜 꽃들로 가득 찼다. 내가 조금 주저하더라도 여름이가 그 주변의 꽃을 구경하며 날 천천히 기다려 줄 수 있을 정도로. 그 동안 내가 먼저 문을 열고 여름이에게 다가갈 수 있을 정도로.

선생님과 상담을 마친 여름이와 떡볶이를 먹으러 가기로 했다. 모든 일이 끝나고 먹는 음식은 더 할 나위 없이 달콤할 것 같았다.

막 학교 건물을 빠져나온 찰나,

"지수야, 잠깐만."

"어? 왜, 뭐 두고 온 거 있어?"

"응. 잠시만 올라갔다 올게."

여름이는 뛰어서 교실로 올라갔다.

'그래도 많이 좋아진 것 같아서 다행이다.'

이 모든 일이 겨우 두 달 남짓 사이에 일어났다는게 믿기지 않을 정도로 시간이 천천히 흘렀다. 여름이가 자주 웃는 모습을 보니 나도 마음이 편안해진다.

선선한 바람이 불고 노을이 지는 하늘에서, 교실 창문으로 여름이가 보였다.

"공여름! 뭐 해! 얼른 와!"

여름이가 웃으며 손을 흔들었다. 곧이어 계단을 내려온 여름이가 내게 팔짱을 꼈다. 우리는 웃으며 학교 밖으로 걸어 나갔다.

## 15. 피어나다 - 공여름

모든 일이 끝났다.

"지수야, 잠깐만."

지수와 교문을 나가다가 잠시 멈췄다.

"어? 왜, 뭐 두고 온 거 있어?"

"응. 잠시만 올라갔다 올게."

아이들이 모두 떠난 학교는 적막했다. 교실 안에 들어오니, 불을 껐음에도 노을 때문에 밝은 모습이 보이고, 바람 소리와 풀 소리가 들렸다.

창문 밖으로 교실을 주홍빛으로 만들어주는 노을이 보였다. 오랜만이었다. 이렇게 아무 걱정도 들지 않는 여유로운 마음을 가지게 된 것도, 아무 걱정하지 않고 웃으며 지수와 분식 집에 갈 수 있게 된 것도.

그동안 학교는 모든 감정의 집합체라고 생각해왔다. 누군가를 좋아하는 마음, 누군가를 싫어하는 마음, 동경과 선망, 질투심, 그 외의 여러 감정들이 모여 있는 곳.

지금까지 난 많은 사람들에게서 그런 감정들을 받으며 성장해왔다. 누군가의 사랑을 받고, 어떨 땐 미워하는 감정을 받기도 했다. 인애 언니의 일처럼, 한때는 가장 믿었던 사람에게서 생각치도 못한 부분을 보기도 했다.

사람들에게 사랑받는 자리에 있으니, 책임져야 할 부분이라고 생각해왔다. 만만치 않은 노력 뒤에는 무조건 그만한 대가가 따르지만, 그 대가를 위한 책임도 필요하니까. 내 사물함 앞으로 다가갔다.

0511

이 원의 영상을 보고, 처음 배우가 되기로 마음먹은 날이었다. 비밀번호를 바꾸고 핸드폰을 넣은 이후로 처음 여는 것이다.

가지런히 꽂힌 책들과 프린트물 사이로 핸드폰이 보였다.

문자 알림 소리를 듣는 것도, 전화벨 소리를 듣는 것도 무서워서 그동안 방치해 두던 핸드폰 전원을 켰다. 그동안 어디 갔었냐고 말하는 것처럼 많은 알림이 쌓여 있었다.

　인스타그램 댓글도 평소보다 두 배는 많아 보였고, 연락한지 오래된 친구에게서도 메세지가 와 있었다. 나를 팔로우 하는 계정들이 보낸 디엠을 하나하나 눈에 담다 보니 새삼 신기하게 느껴졌다. 어릴 땐 그저 배우만을 꿈꿨는데, 이렇게 많은 사람에게 응원과 걱정을 받고 있다니. 아무 조건 없이 다른 사람을 사랑하고 응원하는 게 얼마나 힘든 일인지 알고 있다. 날 응원해주는 사람들을 보면 힘이 나고, 더 열심히 해야겠다는 생각이 들었다. 얼마나 큰 마음과 사랑이 필요한 것인지 알기 때문에.

　오히려 그런 막연한 생각만 했던 게 이유였을까?

　뒤를 돌아보는 법을 알지 못하고, 주변만 둘러보면서 그 사람들에게만 집중했다. 그들이 주는 사랑을 받기에 급급해, 내 자신이 나에게 사랑을 주는 방법은 알지 못했다. 주위의 시선을 지나치게 신경 쓰느라, 내 자신을 돌보는 법을, 내가 하고싶은 일이 뭔지를 까먹고 있었다.

　내가 배우를 꿈꾸게 된 이유는 생각하지 못하고, 배우라는 목적지만 바라봤다. 그곳으로 가는 길 사이사이에 더 예쁜 꽃이 피어 있을 수도 있고, 새로운 길을 개척할 수도, 목적지라고 생각했던 곳은 그저 잠시 쉬어 가는 장소일지도 모른다. 그 사실을 모르고, 사람들로 가득한 경기장에서 앞만 보고 살았던 것 같다. 인스타그램을 오래 사용했지만 아직 한 번도 눌러보지 않은 버튼이 있다. 버튼을 누르자 새로운 창이 하나 떴다.

[정말 계정을 영구적으로 삭제하시겠습니까? 한 번 삭제한 계정의 모든 데이터는 다시 되돌릴 수 없습니다.]
[ 돌아가기 / 삭제하기 ]

가볍게 오른쪽의 버튼을 눌렀다.

특별히 어떤 생각이 들거나 감정이 느껴지지는 않았다. 그저 홀가분했다.

남들보다 빠르게 성공하는 것보단 내가 즐기는 게 중요하다는 걸 깨달았다. 그동안의 시간이 모두 의미가 없었냐고 묻는다면 그건 아니라고 답할 것 같다. 분명 이 경험으로 인해서 내가 배운 게 있을 테니까. 잃은 것이 많은 만큼 얻고 깨달은 것도 있다. 당장 교실에서만 나가도 나를 기다리고 있을 지수가 있다.

창 밖을 보자 주황빛 노을이 보였다. 창문 앞으로 다가가 시원한 바람을 맞으며 아래를 내려다봤다.

"공여름! 뭐 해! 얼른 와!"

손을 흔드는 지수가 보였다.

아무렴 어때. 힘든 일도 전부 지나 갈 것이고, 노력과 최선의 결과가 속상하더라도 그 노력 안에서 나는 충분히 성장할 수 있다. 지금까지 그래왔던 것처럼. 지수를 향해 창문 밖으로 힘차게 손을 흔들었다.

오랜만에 진심으로 웃었다. 지금 이 순간이 행복하다.

# 인애 이야기 1

"인애는 커서 어떤 사람이 되고 싶어?"

"저는 티브이에 나오는 연예인이 되고 싶어요!"

어릴 적부터 주목받는 걸 좋아했다. 어디를 가도 '우리 예쁜 인애~, 커서 꼭 연예인 해라~' 라는 말을 들으며 자랐다. 연예인이 무엇을 하는 직업인지 몰랐을 때부터 내 꿈은 연예인이었다. 예쁜 게 좋고, 사람들에게 받는 관심이 좋았으니까.

부모님은 두 분 다 미술을 전공하셨다. 엄마는 외국에서 전시회도 크게 열 만큼 누구나 알 만한 화가였고, 아빠는 엄마만큼 유명하진 않지만 즐기며 미술을 하는 자유로운 사람이었다. 그렇지만 나는 부모님과는 다른 계열이고 싶었다. 엄마, 아빠가 말하는 미술은 언제나 이해하기 어려웠다. 자신의 생각을 어떻게 그림으로 표현하는지 알 수 없었다. 내 생각, 내 가치관을 다른 사람들에게 표현하고, 보여주고 싶다면 나 자신을 보이면 된다는 게 내 생각이었다. 그림으로 자신의 모든 걸 설명하려고 하는 게 싫었다. 부모님은 내가 미술을 하길 바라셨지만, 내 고집을 꺾을 수 없어 차선책으로 선택한 것이 연기 학원이었다. 엄마, 아빠는 내가 조금이라도 일찍 내 적성을 찾아서, 조금 더 평탄한 길을 걷길 바라셨을 것이다. 요즘도 아무 생각 없이 붓을 들고 칠하다 보면 머릿속도 여러가지 기억들로 칠해지듯 옛날 생각들이 불쑥불쑥 찾아온다. 다시 떠올리고 싶지 않은 기억까지도.

어린 아이들이 다니는 연기 학원이었다. 엄마의 손을 잡고 들어간 학원에서 난 많은 걸 배우고, 또 배운 걸 잘 표현할 줄 알았다.

"인애야. 엄마는 네가 엄마, 아빠처럼 그림을 그렸으면 좋겠는데, 우리 인애는 그림 그리는 것보다 연기하는 게 더 좋지?"

"응! 연기하는 거 재밌어. 선생님이 오늘도 내가 제일 잘한다고 했어!"

엄마는 내가 마냥 신나서 떠들었던 그 때를 회상하며, 나는 연기가 좋은 게 아니라 내 연기로 인해서 선생님과 친구들에게 받는 관심이 좋은 아이로 보였다고 종종 말한다.

그런 생각들을 하며 물감으로 칠한 푸른 하늘을 거의 완성했다. 이제 바닥의 풀들을 칠할 차례. 붓을 씻고 초록색 물감에 가져다 대니, 또 새로운 기억들이 무성한 잡초처럼 생겨났다.

"안녕, 나는 공여름이라고 해, 잘 부탁해!"

어느 날, 나보다 한 살 어린 여름이가 학원에 들어왔다. 처음 한 달 동안 여름이에 대한 내 인식은 그저 '이름이 예쁜 애' 였다. 그러나 점점 시간이 지나면서 공여름과 부딪힐 일이 늘어났다.

날 가르치던 실력 있는 선생님들이 여름이를 가르치게 되고, 내가 학원에 들어왔을 때부터 손꼽아 기다리던 오디션 지원자를 정할 때도 우선순위는 내가 아니라 여름이 였다.

"선생님, 저희 애는 연기를 전문적으로 시켜보려고 하는데요."

언젠가 여름이의 엄마로 보이는 사람이 학원 상담실에서 하는 말을 들은 기억이 있다. 우리 엄마는 화방에서 그림을 그리고 있었을 시간. 엄마 때문에 여름이가 나 대신 오디션 지원자가 되었다고 생각했다. 지금 생각해보면 말도 안 되지만, 그렇게 생각해야 내 최선의 결과를 부정 당하지 않을 수 있었다.

선생님의 바짓가랑이를 잡고 눈물을 뚝뚝 떨구던 초등학생인 내게 선생님은 '우리 인애는 더 잘 어울리는 배역이 있을 거야' 라는 말만 반복했다. 내가 재보다 더 많이 연습했고, 더 많이 칭찬받았는데.

그 날 이후로, 나는 여름이를 미워하기 시작했다. 처음엔 엄마로 향했던 감정의 화살이 확실하게 미워할 대상을 찾은 듯 여름이에게로 향했다.

"인애야, 여름이가 먼저 왔잖아, 응? 인애는 다른 연습실 쓰자."

"싫어요. 전 여기가 좋아요."

"언니가 여기 써! 나는 다른데 써도 괜찮아!"

나보다 어렸던 여름이는 항상 나를 이해해줬다. 그런 것도 연기가 아닐까 싶을 정도로 여름이는 착했다. 이런 일들이 여러 번 반복되자 선생님은 내가 여름이에게 배역을 빼앗겼다고 생각해서 여름이를 못살게 군다고 판단했고, 엄마에게 연락을 했다. 초등학교 저학년이었던 나는 선택의 여지가 없었고, 그 날 이후로 내 방과 후 일상은 연기 학원이 아닌 화방이 되었다.

타이밍을 노리기라도 한 듯 내 자리를 빼앗은 여름이가 미웠다. 학원을 그만둔 날, 엄마 차에 타서 집으로 향하면서 엄마에게 들었던 말을 아직도 잊을 수 없다.

"인애야, 인애는 미술도 잘 할 거야. 많이 경험해본다고 생각 해. 알겠지?"

앞뒤가 맞지 않는 말. 나는 미술을 배워보겠다고 말 한 적이 없는데 날 당장이라도 화방에 데려갈 것처럼 말하다가, 갑자기 경험이라고 생각하라는 말을 했다. 무엇이 엄마의 진심인지 몰라서, 내가 원하는 대로 뒤의 말을 믿기로 했다. 그래야 마음이 편해질 것 같아서.

"사실은 연기하는 거 별로 재미없었어."

이렇게 말 해야 할 것 같아서 그대로 말했다. 마음에도 없는 소리였는데도, 나 자신을 납득시키려면 연기를 '나쁘지는 않지만 좋지도 않았던 그저 그런 경험'으로 남겨둬야 했다.


잡초에 생명을 불어넣듯 정성을 들여 색을 칠했다. 단조롭게 보이던 잡초들도 이젠 하나하나 생명을 가진 것 같이 보였다.

"인애야, 이제 학교 끝나고 심심하면 화방 놀러 와, 알겠지?"

나는 고개를 끄덕였다. 부모님은 내 진로 때문에 많이 싸우셨다. 내가 클수록 엄마는 자신의 욕심을 접고 내가 공부를 하길 바랬고, 아빠는 당연히 내 자식은 미술을 해야 한다고 주장했다. 하지만 정작 아빠는 매일 밤 술을 마시고 들어오면서 그림을 그리는 횟수도 줄어들었다.

그런 날들이 반복되고, 아빠를 피하려고 엄마의 화방에 가곤 했다. 내 진로 문제가 아니더라도 엄마와 아빠는 술 문제로 항상 다퉜고, 아빠가 술김에 엄마와 말다툼을 하다가 잠에서 깬 나에게 손찌검을 한 날에는 엄마가 쌓아 온 모든 것이 무너졌다. 지금까지 쌓여왔던 불안이 아빠의 폭력으로 터져서 나를 무겁게 짓눌렀다. 하루하루 부모님의 싸우는 소리를 들으며 잠들지 못하고, 그렇게 싫어하던 화방과 물감 냄새에 지겹도록 익숙해지고 있었다. 연기를 그만 둔 2년 전, 그 때부터 시작된 사소한 갈등이 점점 커져 우리 가족을 완전히 덮어버리는 데는 그리 오랜 시간이 걸리지 않았다. 엄마와 아빠는 기다렸다는 듯이 법적 절차를 밟아 이혼했고, 내 양육권은 엄마에게 넘어갔다. 나와 엄마는 그 이후로 주기적인 상담을 받아야 했다. 긴 상담 기간동안, 엄마와 나는 서로를 이해할 수 있게 되었다. 후에 상담사 선생님에게 부부싸움을 보는 아이는 전쟁터 한 가운데에 있는 것과 똑같은 불안감을 느낀다는 말을 들은 엄마는 펑펑 울며 나를 안아줬다.

마지막 잡초까지 완벽하게 칠하고 뿌듯한 마음으로 캔버스에서 붓을 뗐다. 화창한 하늘과 푸른 들판만이 보이고 나머지는 모두 하얀 색이었다. 들판 위의 집과 꽃들을 칠하기 위해 더 좋은 물감이 담긴 팔레트를 꺼내고, 더 좋은 붓을 집어 들었다. 빨간 지붕부터 천천히 색을 칠하기 시작했다.

상담을 받을 때, 내 머릿속은 여러가지 갈래로 나누어진 길 같았다. 내

분노와 악의 감정들은 돌고 돌아 연기 학원에서의 일을 쫓아갔다. 미워할 대상은 또 다시 여름이었다. '모든 근원은 여름이야.' 라는 말로 합리화를 시키며, 내 얼굴도 기억하지 못 할 여름이를 1년간 미워했었다.

"엄마, 나 올해부터 다시 학교 다닐래. …… 그리고. 미술 배워볼 거야."

어느 날, 엄마에게 선언하듯 말했다. 사실, 미술을 배우겠다는 말은 준비된 말이 아니었다. 엄마의 눈을 똑바로 쳐다보고 말하기가 힘들었다. 학교에 간다는 이야기를 하고 한동안 엄마의 반응을 살폈다. 그 때 일렁이던 엄마의 눈빛이, 내 입에서 미술 이야기가 나오게 만들었다.

'죄책감이 담겨 있었어.'

엄마와의 대화를 끝낸 후, 혼자 침대에 누워서 생각했다.

엄마는 내가 힘든 걸 모두 본인 탓으로 돌리려 했고, 나는 그게 엄마의 죄책감 때문이란 걸 알았다. 2년 동안 전쟁터 한 가운데 있는 기분을 느꼈을 딸에게 아무것도 해주지 못했다는 죄책감. 그게 엄마가 나에 대해 느껴야 할 무게라면, 나도 엄마에 대해 느껴야 할 무게가 있었다.

엄마의 이혼 사실이 세상에 밝혀지자, 미술 평론가들은 기다렸다는 듯 엄마의 과거 작품을 다시 하나하나 분석했다. '그림에서 이혼의 징조가 보였다!' 라는 터무니없는 영상과 기사를 만들어 내기도 했다.

'애초에 내가 미술을 하겠다고 했다면.'

나도 엄마처럼 모든 걸 내 탓으로 돌렸다. 그게 가장 편했기 때문에. 그리고 내 죄책감은 갈 곳을 잃을 때마다 미술을 향했다.

엄마를 위한다고 말하지만 사실은 내 죄책감을 덜기 위해서였다. 하루하루가 지옥 같던 생활이 지나고, 죄책감만이 날 붙잡고 있을 때, 그 마지막 감정까지도 털어내 버리기 위해 붙잡은 게 미술이었다.

"정말 괜찮겠어 인애야? 엄마는 아직도 네가 왜 미술을 하고싶어 하는지 모르겠어서 그런데……."

"나 진짜 괜찮아. 내가 하고싶어서 그래."

엄마는 더 이상 내게 이유를 묻지 않았고, 학교에 다시 가게 된 이후부터 미술을 배우게 해줬다.

학교에서 내 이름을 '의문의 전학생'보다 '설인애'로 알아가는 아이들이 점차 늘어가며, 조금 마음의 여유가 생기던 시기였다. 내가 여름이를 다시 만난 건.

어느덧 그림은 완성되어 있었다. 장장 네 시간에 걸친 그림. 영화에 나올 것처럼. 아니, 눈 앞에 나타날 것처럼 실제 같은 풀과 하늘, 집이 보였다. 흘러내린 머리를 다시 하나로 잘 모아 묶고, 물감을 정리하기 시작했다. 펼쳐 놓은 것들이 많아서 그런지 정리하는 데에도 오랜 시간이 걸릴 것 같았다. '그냥 두고 가면 다음에 쓰는 사람이 치우지 않을까' 하는 생각이 잠깐 들었지만 말도 안 된다는 생각을 하곤 다시 정리를 시작했다.

"인애야, 너 공여름이라고 알아? 일학년. 연제동 살았었대! 너도 거기서 왔다고 하지 않았어?"

'공여름?'

내 머릿속에선 서서히 사라져가던 이름이었다. 한 때 내 미움의 대상이었던 아이. 지난 일이라고 생각했는데, 여름이는 아직 내 마음속에서 악역으로 자리잡고 있던 건 지도 모른다. 여름이의 이름을 듣자마자 나도 모르게 인상을 쓰게 됐다.

이 친구는 조여은. 나와 비슷한 시기에 옆반으로 전학을 왔다. 서로를 옆반 전학생이라고만 알고 있다가, 미술 동아리에서 만나서 지금은 가장 가까운 친구가 되었다. 가깝다고 해도 그저 점심을 같이 먹고, 아주 가끔 연락하는 사이일 뿐이긴 하지만 사람들과의 교류를 무서워하던 나에겐 이것도 큰 발전이었다.

여은이는 내가 잠시 행동을 멈추자 뭔가 눈치라도 챈 듯이 더 말을 보탰다.

"근데 걔가, 연기를 진짜 잘한대! 당연히 연기 동아리 들어갔겠지? 왜 예술 중학교 안 갔는지 몰라."

"그래? 난 잘 모르는 애야."

"그래? 그럼, 내가 이 말을 왜 꺼냈게? 너 이거 들으면 진짜 놀랄 걸? 걔, 인플루언서 활동 중인데 팔로워가 무려⋯⋯."

"아, 여은아. 나 가야겠다, 미안. 동아리 과제를 깜빡 했어."

여은이의 입에서 숫자로 추정되는 말이 나오기 전에 나는 가방을 둘러 매고 서둘러 일어섰다.

"뭐? 이번 과제 엄청 힘든데! 어떡하냐, 파이팅 설인애! 오늘 저녁 같이 먹기로 한 거 안 잊었지? 7시! 분식집!"

여은이는 소문에 금방 휘둘리고 믿으며, 또 금방 식는 성격이었다. 화제를 돌리는 게 쉽다는 뜻이다.

"응, 갈게!"

동아리 과제를 하지 않은 건 사실이었다. 그렇지만 그 순간 과제가 떠올랐던 것은, 과제를 빌미로 공여름에게 말을 걸 수 있을거란 생각이 들었기 때문이다. 과제는 인물을 그리는 것. 좋아하는 사람이나, 아니면 처음 본 사람도 좋다는 조건이었다. 그러니 싫어하는 사람도 되겠지, 하는 마음.

그렇게 여름이의 이름을 오랜만에 들은 순간부터 속에서 울렁이며 올라오는 무언가를 느끼며 빠른 걸음으로 걸었다. 어느새 발걸음은 1학년 층인 4층을 향했고, 무작정 1학년들이 모여 있는 복도 한 가운데로 들어갔다. 아이들이 떠드는 소리가 들렸다. 어딘가에 공여름이 있다. 여름이는 내 이름도 기억하지 못하겠지만, 나 혼자 공여름을 생각하고 또 미워하며 잠 못 들던 수많은 밤들이 나를 이 곳에 데려온 것 같았다. 복도 모퉁이를 돌 때면 누군가 있을까 봐, 그게 여름이일까봐 마음을 졸였다.

'만나면 어쩌려고.'

'날 알지도 못한 텐데.'

'이제 공여름을 미워하지 않는 게 맞나?'

공여름을 만나야 했다. 그리고 공여름은 정말 나쁜 아이라고 누군가가 단정지어 말해 주길 바랐다.

심장이 미친듯이 뛰고, 점점 마지막 반의 복도와 가까워지고 있었다.

"이거 미술 동아리에 좀 갖다 놓고 올래? 선생님이 회의에……."

"네, 선생님."

학년부장 선생님의 익숙한 목소리와, 그 뒤의 명랑한 목소리가 같이 귀에 꽂혔다.


"언니가 여기 써! 나는 다른데 써도 괜찮아!"


그 때와 똑같은 목소리. 앞 문이 열리고, 익숙한 모습의 여자아이가 나왔다.

연기 때문인지, 아직은 교칙에서 자유로운 1학년이기 때문인지, 여름이의 머리는 짙은 검은색이 아니었다. 창문에서 햇살이 비치며, 여름이의 머리카락 색이 보였다.

'밝은 갈색 머리…….'

어릴 적 얼굴 그대로였다. 아니, 더 예뻐졌다. 크고 맑아 보이는 눈을 가졌고, 걸음걸이는 마치 모델 같았다. 발목을 덮는 양말과 함께 단화를 신고 있었다. 심지어 무릎을 덮는 긴 기장의 치마를 줄이지 않고 입었다. 예뻐 보이려고 노력하며 화장을 해대는 아이들과는 비교할 수 없을 정도로 예뻤다.

발자국 소리가 점점 가까워지며, 내 옆을 지나쳐갔다. 고개를 돌려 걸어온 쪽으로 뛰었다.

"저기……!! 너 1학년 연기 동아리 맞지?"

내 앞에 공여름이 서 있다는 게 신기했다.

눈을 동그랗게 뜨고 뒤를 휙 돌아본 여름이는 놀란 듯 날 쳐다봤다.

"네. 설인애 선배님이시죠?"

"어, 어떻게 알았어? 맞아!"


나는 여름이에게 동아리 과제 그림의 모델이 되어 줄 것을 제안했고, 여름이는 눈을 빛내며 승낙했다. 그 후로 우리는 2주동안 방과 후, 미술 동아리실에서 만났다. 그 14일이 나에겐 설명할 수 없는 날들의 연속이었다. 여름이에게 모델을 제의한 날 저녁, 침대에 누워서 생각했다.

'내가 왜 걔한테 말을 걸었을까?'

어제 까지만 해도 공여름에게 특별한 감정을 남겨두지 않았다고 생각했는데, 하루만에 머릿속이 완전히 뒤집힌 기분이었다.

내가 엄마와 아빠의 부부싸움으로 침대 위에 이불을 뒤집어쓰고 떨고 있을 동안, 공여름은 집에서 가족들과 저녁을 먹으며 웃고 있었을 것이다. 내가 엄마와 아빠의 이혼으로 엄마와 상담에 다닐 동안, 걔는 부모님의 손을 잡고 연기학원에 갔을 것이다.

내가 겨우 학교에 다닐 용기를 내는 동안, 그 애는 다른 아이들의 관심을 받으면서 학교생활을 즐겼을 것이다.

아무리 생각해도, 내 불행의 시작은 공여름이었다는 생각을 지울 수 없었다.


그날 밤엔 꿈을 꾸었다.

텅 빈 꿈속 세계였다. 멀리서 흐릿한 두 사람의 모습이 보였다. 두려움 반, 호기심 반으로 두 사람을 향해 걸어갔다.

눈 앞에 보이는 사람은 아빠였다. 아빠에게 가까이 다가갈수록 아빠와 조금 떨어진 곳에 서있는 아이의 모습도 보였다.

"아빠?"

아빠라고 불러보는 건 오랜만이었다. 아마 3, 4년 만의 일. 아빠는 아무 말도 하지 않고 적당한 거리에서 나를 지켜보기만 했다.

"아빠, 잘 살고 있어?" 항상 묻고 싶었던 질문이 튀어나왔다. 아빠에게 물을 수 있는 최선의 안부였다. 그리고 내 물음에 아빠가 '아니'라고 대답하길 원했다.

아빠는 내 질문에도 아무 말도 하지 않았다. 저 사람은 지금의 아빠가 아니라, 내 기억 속의 아빠였다. 아빠가 엄마와 함께 화방에 갈 때 자주 입던 옷을 입고 있었다.

아빠의 뒤에 서 있는 공여름에게 눈을 돌렸다.

'무슨 말을 해야 하지. 모델 해줘서 고맙다는 말? 너 나 기억하냐는 말?'

의미 없는 말들을 고민하다가 그대로 꿈에서 깼다. 그 날 나는 처음으로 미술 동아리실에서 공여름을 만났고, 많은 이야기를 했다. 사실 2주라는 기간은 터무니없이 길었다. 과제는 3일 정도면 끝낼 수 있었다. 이럴 땐 공여름이 초상화나 미술에 대해서 잘 모르는 게 다행이라고 생각했다. 내가 지금의 공여름을 알아갈 수 있는 시간은 2주, 하루에 한시간 반에서 두 시간. 원래 자습을 하던 시간인데, 시험도 끝났고 2주 정도는 괜찮을 것 같단 말을 듣고 잡은 약속이었다.

"언니, 언니네 부모님은 좋아?"

어느 날, 여름이가 뜬금없이 물었다. 우리가 동아리실에서 만난지 일주일이 넘어가던 날이었던 것 같다. 내가 생각한 것과 다르게, 나와 여름이는 성격이 정말 잘 맞았다. 빠른 속도로 친해질 수 있었고, 여름이가 나에게 마음을 열고 다가오는 게 눈에 보일 정도였다. 가끔은 내가 거짓말로 꾸며낸 관계에 죄책감이 들 때도 있었지만, 아무것도 모르는 여름이의 얘기를 듣는 날이면 그 죄책감은 언제 그랬냐는 듯 사라졌다.

"갑자기? 왜?"

"아니, 내가 얼마 전에 너무 피곤하고 힘들어서 학원 가도 집중을 못 할 것 같았단 말이야. 그래서 딱 하루, 딱 그 날 하루만 연기학원 선생님한테 말하고 학원을 쉬었었거든. 근데 그걸 엄마가 알게 된 거야. 엄마가 그렇게 화내는 거 처음 봤어."

여름이는 억울하다는 듯이 말을 토해냈다. 여름이가 말하는 동안 어떤 반응을 해야 할 지 알 수 없었다. 본인의 돈을 내고 다니는 학원에 빠진 것 때문에 혼나는 건 당연한 거 아닌가? 뭐가 억울하다는 건지 이해할 수 없었다.

"언니?"

"아, 속상했겠네. 걱정되니까 그러신 거겠지. 네가 안 하던 행동이니까."

"그렇겠지? 요즘은 뭔가 학원 다니는 게 부담스러운 거 같아."

여름이는 그렇게 말하며 울상이 된 표정을 지었다.

그 날은 도무지 그림에 집중이 되지 않았다. 학원을 핑계로 사십 분 만에 동아리실을 나왔다. 그런 말들을 들으면서도 웃으며 인사를 하고 나올 수 있었던 나 자신이 대단했다.

'나는 너 때문에 하고싶지도 않은 미술을 하면서 사는데, 넌 하고싶은 것도 다 하면서 도대체 뭐가 피곤하고 힘들다는 거지? 학원에 빠진 건 당연히 혼나야 할 일 아닌가?'

'어떻게 다 가졌으면서 그런 생각을 할 수 있지? 다 가졌으니까 할 수 있는 생각인가?'

그 날 여름이에게 들은 말들은 하나하나 화살이 되어 내 마음에 꽂혔다.

# 인애 이야기 2

"인애 학생, 학생은 그림 그릴 때 무슨 생각을 해요?"

"네? 그냥, 잘 해야지, 하는 생각으로 그립니다."

말꼬리가 흐려져 목소리가 점점 작아졌다. 이런 질문을 받게 될 거라고는 생각도 못 했기 때문이다. 나는 그 자리에 그대로 굳어서 심사관이 던진 질문의 의도를 생각했다.

"인애 학생은, 그림을 글로 배운 사람처럼 보여요."

"네?"

그림을 글로 배웠다는 건, 칭찬처럼 들리지는 않았다.

"대학 입시를 할 때는 학생들에게 원하는 스타일과 그림이 있어요. 그런 입시에선 인애 학생이 유리할 수도 있죠. 그런데 냉정하게 말하면 이렇게 하면 그림 오래 못 그려요. 그림의 완성도나 퀄리티는 당연한 거고, 그 안에 담긴 생각을 봐야 해요. 그림에 자기 감정을 담아서 풀어내는 것도 중요해요."

'그림에 자기의 감정을 담으라고? 어떻게?'

나에게 그림을 그린다는 건 단순노동이었다. 그렇지만 그림 그리는 게 즐겁지 않은 건 아니었다. 그림을 그리다 보면 어느새 잡다한 생각은 사라지고, 캔버스 위의 물감들과 나만 남는 순간이 있었다. 그림을 그리면서 겨우 찾아낸, 유일한 즐거움이었다.

동아리 내에서도 가장 실력이 좋다고 인정받고, 화가인 엄마의 눈에도 내 그림은 남들보다 뒤쳐지진 않았다. 그런데 꼭 주제가 주어지는 대회만 나가면 상을 타는 법이 없었다. 그게 내 감정을 담지 않아서였다면, 조금 억울할 것 같단 생각이 들었다. 나는 그림 그리는 법을 배운거지, 그림에 내 생각을 넣는 방법은 배우지 않았으니까.

## 인애 이야기 3

　시작은 중학생 때, 여름이의 열쇠고리를 훔친 일이었다. 여름이가 하는 말도, 나만 빼고 모두 잘하는 것 같은 주변 상황도, 내가 하는 미술에도 스트레스를 받던 나에게는 탈출구가 필요했다. 지금까지 한 번도 겪어보지 못한 스트레스가 한 번에 몰려오니, 무언가를 포기할 수도, 계속 할 수도 없었다. 미술을 포기할 용기도 없었지만, 계속 할 용기는 더 없었다. 거기에다 여름이가 잘 되는 모습까지 보고 있으니, 나는 절대 빠져나갈 수 없는 방에 갇혀서 다른 세상을 내다보는 기분이었다. 내가 할 수 있는 일은 다른 세상에 작은 영향을 주는 것. 그래서 내가 갇힌 방을 조금이라도 넓히는 것뿐이었다. 그게 여름이의 열쇠고리를 훔친 이유였다. 오늘 처음으로 가방에 달고 오더니, 실수인지 미술 동아리실에 가방을 두고 간 날이었다. 몇 번이나 한숨을 쉬면서도 쉽게 열쇠고리에서 눈을 떼지 못했다. 심장이 미친듯이 뛰었다. 이런 짓이라도 하지 않으면 여러가지 부정적인 감정들에 눌려 살지 못할 것 같았다. 그런 내 마음과는 다르게, 가방에서 열쇠고리를 빼는 순간 숨통이 트인 것 같이 숨을 몰아 쉬게 되었다. 그대로 입고 있던 체육복 바지 주머니에 열쇠고리를 넣고 동아리실 밖으로 뛰었다. 아끼던 열쇠고리를 자신의 잘못으로 잃어버렸다는 걸 깨달은 공여름의 표정은 어떨까? 공여름에게 조금이라도 균열을 일으킬 수 있는 일을 했다는 것에 대해 스트레스가 풀리는 것 같았다.

'이 정도는 괜찮겠지.'

　그 날 이후로 나는 아무렇지 않은 얼굴로 여름이를 만났다. 그러길 몇 달, 나의 입시 준비와 2학년이 된 여름이의 일정 때문에 서서히 얼굴 볼 일이 줄었고, 연락만 하는 사이가 되었다. 그리고 고등학생이 되어 여름이를 다시 만났다. 문자를 보낸 것도 홧김에 한 일이었다.

여름이와 서서히 멀어진 후, 많은 일을 겪었다. 여러 번 대회에서 떨어지고, 예술고등학교가 아닌 일반 고등학교에 진학했다. 엄마의 기대를 충족시키기는커녕 매번 실망시켰다. 그렇게 나에 대한 자존감이 바닥을 칠 때, 다시 여름이를 만났다. 왜 항상 내가 최악의 상황일 때만 최고의 우상 같은 애를 내 눈 앞에 보여주는지. 내가 나쁜 사람이 될 수밖에 없게 설정된 것 같았다.

처음엔 이러면 안된다는 생각이 계속 내 발목을 잡았다. 하지만 처음이 어렵단 말을 점점 이해할 수 있게 되었다. 복도를 지나다가 여름이를 마주칠 때, 나에게 눈인사를 하는 모습이 여전히 행복해 보였다. 문자를 보내고, USB에 있던 영상을 올리는 걸 계속 해봤자 상처받고 우울해지는 건 나일 뿐이라는 걸, 여름이를 보면서 점차 깨달았다. 그렇지만 멈추기엔 너무 많은 일을 벌인 것 같았다.

사람이 한계까지 내몰리면 될 대로 되라는 생각을 하게 된다는 걸 그때 처음 알았다. 여름이의 친구를 만나, 대신 대본을 가져다 달라고 부탁했다. 그럴싸한 명분을 붙여서. 거짓말을 자연스럽게 해도, 죄책감이 아니라 어떻게 하면 내가 범인이라는 걸 들키지 않을 수 있을까 라는 생각이 먼저 들었다.

누군가를 미워하는 마음이 이렇게까지 커져서, 결국 내 발목을 잡고 있다. 사과를 하려던 마음이 아예 없었던 것은 아니다. 잠깐 든 생각은 이내 죄책감 하나도 남기지 않고 사라졌다. 사과를 하면 내가 내 잘못을 인정하는 게 되니까. 분명 내가 잘못한 건 맞다. 그렇지만 그걸 인정하고 싶지 않았다. 내가 아닌 여름이를, 나쁜 사람으로 남겨두고 싶었다. 여름이가 나에게 화를 내도, 해명도 사과도 하고 싶지 않았다. 그냥 네가 싫었다는 말만 할 뿐.

마음 한 구석에는 여전히 찝찝함이 남아있다.

# 어느날 갑자기

김예림

　글을 쓴다는 건 특정한 사람들만 하는 일인줄 알았습니다. 직접 글을 써보니 알
수 있었습니다. 글을 쓰려고 하면 머릿속엔 수많은 단어와 문장들이 먼지처럼 흩
어져 있습니다. 생각을 정리한다는 것은 어려웠습니다. 글을 쓴다는 건 상상력도
필요하지만 인내심도 필요한 일이었습니다.
　이 글들은 어느날 갑자기 일어나는 일들에 대한 글입니다. 어느날 갑자기 일어
난 일들과 일상에 대해 생각해보는 계기가 되었으면 합니다.

# 1. 어느날 갑자기

<하루의 시작>

 오늘도 꿈에서 만날 수 없었다. 달력에 쓰인 4월 13일 위에 빨간색 색연필로 엑스 표시를 그었다. 케이는 16살이다. 학교에 가는 날이면 정확히 오전 7시 50분에 일어나 양치와 세수를 한다. 그리고 아빠가 준비해 놓은 40도 씨의 따뜻한 물 한 잔을 마신다. 시계를 한 번 보고 체육복을 입는다. 설거지를 하던 엄마는 고개를 돌리며 말한다.

 "오늘 하루 잘 보내고 잘 갔다 와."

 아빠도 중문 앞에 서서 인사를 해준다.

 "따뜻하게 입고 가."

 엄마, 아빠의 인사를 받고 집을 나선다. 양쪽 귀에 무선 이어폰을 끼고 노래를 듣는다. 이어폰 때문에 자동차소리, 사람들 말 소리, 심지어 숨소리까지도 들리지 않는다. 음악이 가득찬 길거리, 그 곳엔 케이만 있다. 발소리 조차도 들리지 않아 공중에서 걷는 느낌이 든다.

<등교>

누군가가 케이의 등을 탁 친다.
"야, 너 이어폰 좀 빼라! 다섯 번이나 불렀음."
"못 들었어. 쏘리."
케이는 급한 마음에 이어폰을 빼서 주머니에 넣는다. 친구들과 함께 등교하니 금방 교실에 도착한다.


<조회>

선생님의 전달사항이 끝나고 아이들은 휴대폰을 냈다. 케이는 휴대폰을 내지 않았다.
"휴대폰 내라."
"선생님, 오늘 휴대폰 안 가지고 왔어요."
케이는 휴대폰을 안 가져왔다고 거짓말을 한다. 그리고는 서랍 깊숙한 곳에 몰래 휴대폰을 숨겨둔다.


<1교시>

1교시는 케이가 가장 싫어하는 수학 시간.
"1교시부터 수학? 잠이나 자야겠다. 깨우지 마."
케이는 수학을 끔찍하게 싫어하기 때문에 수학시간에는 책상에 엎드려 잠만 잔다. 그래서 매번 수학 선생님께 꾸중을 듣곤 한다.
"케이, 안 일어나냐?"
수학 선생님의 지적에 괜히 반항심이 생긴다.

<2교시>

　케이가 가장 좋아하는 체육시간이다. 케이는 어렸을 때부터 체육을 좋아했다. 무엇보다 재능이 있었다. 농구, 피구, 축구, 배드민턴 모두 다 잘했다. 체육이 있는 날이면 케이는 시계를 쳐다보며 목빠지게 체육 시간만 기다린다. 오늘도 피구를 하면서 스트레스를 풀었다. 얼음 가득한 보리차를 벌컥벌컥 마셨다. 이제부터 케이가 좋아하는 과목 시간은 없었다. 1교시 수학, 2교시 체육, 3교시 국어, 4교시 역사, 5교시 미술, 6교시 영어, 7교시 과학까지 최악의 시간표였다. 케이는 시간표를 보며 한숨만 내쉬었다.


<3교시>

　그렇게 3교시가 시작되었다. 케이는 아무 생각없이 색 볼펜으로 밑줄을 그으며 시간이 가기만을 기다렸다. 하지만 시간은 달팽이처럼 느리게 갔다. 시계가 멈춘 것 같았다. 국어 선생님의 설명이 자장가처럼 들렸다. 밑줄을 긋다 쿠션에 침까지 흘리며 잠들어버렸다.


<4교시>

　드디어 4교시, 역사시간. 한시간만 버티면 드디어 점심시간이다. 제 1차 세계대전? 제국주의? 알다 가도 모르겠는 역사다. 도대체 우리나라 역사도 아니고 다른 나라 역사를 왜 배워야 하는지 이해할 수 없었다. 기말고사도 얼마 남지 않았는데 벌써부터 마음이 조급했다. 왜냐하면 케이는 작년 기말고사 때 역사 14점의 점수를 받았기 때문이다. 남들은 외우기만 하면 된다는데, 역사가 왜 그렇게 어려운지 모르겠다.

## <점심시간>

기다렸던 점심시간이 되었다. 종이 치자 마자 친구들과 운동장으로 나갔다. 뜨거운 햇볕 아래에서 점심시간이 끝날 때까지 축구를 했다. 전반전이 끝나고 5분 쉬는 시간. 케이는 맑은 하늘을 보며 더위를 식혔다. 그리고 생각했다.

'중학교에서의 마지막 생활인만큼 하고싶은 걸 해보고 살자고.'

땀이 마를 정도로 시원한 바람이 불어왔다.

"아…… 바람 진짜 시원하다."

"빨리 와! 5분 지났어."

"알겠어, 갈게."

그렇게 후반전까지 뛰고 온 케이는 녹초가 되었다.


## <5교시>

5교시는 미술. 케이는 그림에 소질이 없다. 어릴 때 미술학원을 7년이나 다녔는데 실력이 늘지 않았다. 원장님은 케이 그림을 지적하고 케이가 고치면 또 지적했다. 케이는 원장님의 계속된 지적에 진이 빠졌다. 그림을 그리는게 재미있지 않고 오히려 스트레스만 쌓였다. 그래서 그때 미술학원을 그만뒀다. 그래도 체육 다음으로 좋아하는 과목이 미술이었다. 그림을 그리고 있는데 밖에서 소리가 들렸다. 소나기가 쏟아져 내리고 있었다. 점심시간 까지만 해도 맑던 하늘이 먹구름으로 가득 찼다. 비 소리를 들으면서 그리니까 그림이 더 잘 그려졌다.

'종 치자 마자 밖으로 나가야지.'

케이는 비 맞는 걸 좋아한다. 그래서 비가 올 때면 밖에 나가 옷이 흠뻑 젖을 때까지 비를 맞는다.

## <쉬는 시간>

5교시가 끝났다. 케이는 누구보다 빠르게 밖으로 뛰어나갔다. 소나기라 그런지 빗방울도 굵고 둔탁한 소리가 났다. 시원하다. 아무 생각도 들지 않는다.

'좋다⋯⋯'

힘들었던 게 빗줄기와 같이 씻겨 내려가는 기분이 들었다. 이 느낌이 좋아서 비가 올 때면 쓰고있던 우산도 버리고 걸어간다. 미친 사람이라고 생각할 수도 있다. 하지만 케이는 사람들의 시선 따위 신경쓰지 않는다.


## <6교시>

쉬는 시간 동안 많은 아이들이 비를 맞으러 나갔다. 아이들이 비를 맞으며 놀다가 홀딱 젖어서 온 모습을 보니 재밌었다. 그 중 케이도 포함되어 있었다. 옷이 젖어서 너무 추웠다. 다행히도 사물함에 담요 하나를 항상 넣고 다녀서 담요로 추위를 견뎠다. 비를 맞은지 얼마되지 않아 케이는 이상함을 느꼈다. 여름감기였다. 영어 수업을 10분 정도 듣다가 보건실로 갔다. 하지만 좀처럼 몸이 괜찮아지지 않았다. 목구멍에는 따가운 가시들이 박혀 있는 것 같았고, 눈에서는 금방이라도 뜨거운 용암이 흘러나올 것 같았다. 열은 좀처럼 떨어지지 않았다.


## <7교시>

케이는 다음 시간에도 감기 기운 때문에 보건실에 누워있었다. 한 교시를 남기고 조퇴하기에는 눈치가 보였다. 따뜻한 보건실 침대에서 누워있으니 잠이 솔솔 왔다. 케이는 잠깐 잠이 들었다. 하지만 얼마 되지 않아 케이는 벌떡 일어났다. 조회시간에 내지 않은 휴대폰을 꺼내 무언가를 적기 시작했다.


## <케이의 비밀>

　케이는 꿈을 하루에도 몇 개씩 꾼다. 케이는 꿈을 꿀 때 마다 꿈 일기 앱에 자신의 꿈 일기를 쓴다. 방금 보건실에서도 일어나서 꿈 일기를 쓴 것이다. 하지만 오늘따라 꿈 일기 노트에 광고가 계속 떴다.

　'꿈에 들어가고 싶으신가요? 그럼 들어오세요.'

　닫기 버튼을 계속 눌렀지만 소용이 없었다. 케이는 실수로 들어가기 버튼을 눌렀다. 자동으로 휴대폰에 앱이 깔렸다. 마지막 교시 종이 치는 걸 듣고 케이는 곧바로 교실로 올라갔다. 케이의 친구들이 걱정해주었다. 하지만 케이는 친구들의 위로는 들리지 않았다. 왜냐하면 아까 꾼 꿈을 일기에 쓰지 못했기 때문이다. 꿈은 꾸고 나면 금방 잊어버리기 때문에 바로 써야 하는데, 바로 쓰지 못해 불안했다. 기분이 찜찜한 채로 수학학원에 갔다. 배가 고파서 계속 꼬르륵 소리가 났다. 학교에서 점심을 먹어도 축구를 하면 배가 금방 꺼진다. 잠깐 쉬는 시간이 있어서 떡꼬치 하나를 사서 얼른 먹었다. 케이는 먹으면서 아까 보건실에서 꾼 꿈을 까먹지 않게 되뇌이고 있었다. 집에 도착한 케이는 피곤한 나머지 잠이 들었다. 잠시 후 케이는 뭐라고 웅얼거리기 시작했다.

　"안돼……가지마, 너에게 꼭 할 말이 있단 말이야."

　케이는 한참동안 웅얼거렸다.

　케이는 잠에서 간신히 깼다. 엄마가 손수건을 갖고 와서 케이의 식은땀을 닦아주었다. 케이는 엄마를 꼭 안으며 말했다.

　"엄마, 꿈에 또 제이가 나올 뻔 했어."

## <제이와의 만남>

　제이와의 첫 만남은 중학교 1학년 때였다. 중학교에 입학한 케이는 모든 것이 새롭고 신기했다. 초등학교와는 분위기가 완전 달랐다. 여러 부류의 다양한 친구들이 있었다. 케이는 학교생활이 신기했지만 두렵기도 했다. 케이는 예전에 친하게 지냈던 친구들과도 같은 반이 되었다. 그래서 그 친구들과 어울리며 지냈다. 겉으로는 친절하지만 뒤에서는 케이를 질투하는 아이들이었다. 케이는 그 사실을 누구보다도 잘 알고 있었다. 그래서 더 힘들었다. 하지만 제이는 달랐다. 진심으로 케이를 좋아해주는 친구였다. 누군가가 날 좋아하는지 싫어하는지를 아는 건 어렵지 않다. 시험해 보지 않아도 태도에서 다 드러나니까. 케이는 그런 제이가 좋았다. 나 자신을 있는 그대로 좋아해주니까. 케이와 제이는 가장 친한 친구가 되었다. 케이와 제이의 성격은 정반대이다. 케이는 성격이 외향적이고 제이는 성격이 내향적이다. 그래서 제이가 하지 못하는 말이 있으면 케이가 대신 이야기해줬다. 케이와 제이는 생김새도 정반대이다. 케이는 얼굴이 하얗고 이목구비가 뚜렷했다. 쌍커풀이 있는 눈에 머리카락 길이는 가슴 정도이고 키는 155정도이다. 그리고 제이는 케이와 반대로 얼굴이 어두운 색이고 쌍커풀이 없는 눈이다. 단발머리에 키는 165정도로 큰 키다. 성격부터 생긴 것까지 모두 반대였다.


## <제이 이야기>

　제이의 부모님은 교통사고로 일찍 돌아가셨다. 제이는 외할머니와 할아버지와 산다. 하지만 아이들은 제이의 아픈 부분을 재밋거리로 만들었다. 할머니가 제이를 데리러 오면 아이들은 놀리곤 했다. 불쌍하다고. 할머니, 할아버지가 죽으면 넌 고아아니냐고 심한 말들을 아무렇지 않게 했다. 그 말들이 얼마나 부끄러운 행동인지 모른 채. 제이는 아무 말도 하지 못하고 할머니의 손을 끌고 나갔다. 처음에 케이는 그런 제이가 이해가 가지 않았다.

'왜 저런 욕들을 듣고도 가만히 있을까?'

케이는 가만히 있는 제이가 답답했는지 저번과 같은 상황을 몇 번 보고 나서 참지 않고 나섰다. 케이가 나서니까 아이들은 죽은 듯이 가만히 있었다. 케이는 아이들한테 욕을 한 바가지 하면서 경고를 날렸다.

"한 번만 더 건드려라."

케이의 그런 모습을 처음 본 애들은 깜짝 놀라서 미안하다고 사과를 했다. 그 사과는 제이를 향한 사과가 아닌 케이에게 하는 사과였다. 케이는 화가 났다. 하지만 보는 사람들이 점점 많아지자 감정을 가라앉혔다.

"나한테 말고 제이한테 해야지."

애들은 당황스럽다는 표정을 지으며 제이에게 사과를 했다. 사과인지 옹알인지 알 수 없을 정도로 대충. 케이는 마음에 들지 않았지만 더 하면 정말 화가 날 것 같아서 참았다. 그렇게 한바탕 하고나서 케이는 제이를 끌고 나갔다. 제이는 어리둥절한 표정으로 케이를 보고만 있었다. 케이의 화는 가라앉지 않았다. 케이는 씩씩거리면서 제이에게 화를 냈다.

"야, 너는 왜 아무 말도 안 하냐? 니가 돌멩이냐? 가만히 있게."

답답한 마음에 케이는 제이에게 독설을 퍼부었다. 하지만 제이는 웃으며 고맙다고 이야기했다. 자신에게 먼저 손을 내밀어준 첫 친구였으니까. 케이도 이런 제이의 모습에 마음을 조금씩 열었다. 그 이후로 케이와 제이는 가장 친한 친구가 되었다. 가끔 제이의 집에 가서 할머니, 할아버지의 말동무도 해드렸다. 제이는 케이의 따뜻함이 좋았다.

## <비밀장소>

케이와 제이는 학교가 끝나면 늘 가는 곳이 있었다. 30년 된 해장국 집이다. 해장국집 주인 아주머니는 아들이 한 명 있는데, 그 아들 이름을 따서 가게 이름을 동식이 해장국집이라고 지으셨다. 아주머니의 해장국은 말로 표현할 수 없을 만큼 깊은 맛이다. 중학생들이 해장국을 좋아하는 게 이상하긴 하지만, 케이와 제이는 학교 앞 떡볶이 집보다 이곳을 더 좋아했다. 사람도 많이 없고 무엇보다 그 가게의 분위기가 따뜻했다. 그곳에서 재미있었던 일, 짜증났던 일들을 얘기하며 해가 지는 걸 보면, 하루의 고민들이 싹 날아갔다. 케이와 제이는 학교가 끝나면 곧장 해장국집으로 달려가 해장국을 시켰다. 어느덧 해장국집은 케이와 제이의 비밀장소가 되었다.


## <다툼>

케이의 생일이 얼마 남지 않았다. 제이는 생일 선물로 케이의 이니셜이 박힌 팔찌를 준비했다. 하지만 케이의 친구들이 팔찌를 끊어 놓았다. 아무것도 모르는 제이는 케이에게 그대로 선물을 전달했다. 케이는 아무런 의심없이 상자를 열었다. 상자를 연 케이의 표정은 당황스러운 표정이었다. 처음에는 놀란 눈이더니 점점 갈수록 표정이 찌그러졌다.

"이게 뭐야?"

"케이야, 이게 어떻게 된 거지?"

"내가 그런 게 아니야 누군가가 일부러 이렇게 한거야."

"너는 다른 아이들과는 좀 다른 줄 알았는데 똑같구나."

케이는 눈시울이 붉어진 채 밖으로 나갔다. 제이는 그 자리에서 눈물이 터졌다. 그리고 이 일들을 꾸민 친구들은 뒤에서 비웃고 있었다.

## <어긋난 마음>

제일 믿고 있던 제이가 자신을 배신했다고 생각하니, 분하고 속상했다. 케이는 그네에서 마음을 진정하고 있었다. 케이의 눈에서는 눈물이 멈추지 않았다. 케이는 한참동안 놀이터에서 있다가 집으로 돌아갔다. 하지만 집에 가서도 찝찝한 기분은 풀리지 않았다. 케이는 제이에게 저녁 6시에 수학학원 건물 앞에서 만나자고 문자를 보냈다. 제이에게 무슨 말을 꺼낼지 골똘히 생각했다. 빨리 오해를 풀고 싶어서 약속을 잡았는데, 괜히 잡았나 후회되기도 했다. 노트에다가 문장 몇 개를 끄적이며 무슨 말을 할지 고민했다. 약속시간이 됐다. 케이는 옷을 입고 나갈 준비를 했다. 케이는 핫팩 두개를 꺼내 주머니에 넣었다.

## <갑작스러운 사고>

제이는 약속장소에 도착해 있었다. 케이는 여러가지 생각이 들었다. 제이에게 어떤 말을 꺼낼지, 아까는 왜 그랬는지. 생각이 많은 표정으로 신호를 기다리고 있었다. 제이가 케이 쪽으로 건너오고 있었다. 해맑은 표정으로. 케이는 제이의 표정을 본 순간 아까 했던 고민들을 싹 다 잊었다. 제이는 평상시에 잘 웃지 않는다. 어떨 때 딱 한 번 웃으면 백만 불짜리 웃음이 나온다. 아주 가끔씩 케이만 볼 수 있는 웃음. 케이도 제이를 보며 씩 웃었다. 제이 쪽으로 건너가려 했다. 그런데 저쪽에서 트럭이 멈추지 않고 계속 왔다. 제이는 그것도 모르고 케이에게 해맑은 표정으로 걸어오고 있었다.

"안돼! 제이야 다시 돌아가!"

제이는 그제서야 옆을 봤다. 놀란 나머지 제이는 움직이지 않고 서있었다. 그 순간 제이는 트럭에 치였다. 그날은 춥기도 했지만 눈이 아주 많이 내리는 날이었다. 안전 안내문자로 폭설주의보라는 안내문자가 계속 온 날이었다. 케이와 제이가 기다리고 기다렸던 첫 눈이었다. 하얀 눈 위에 제이가 누워있었다. 새하얀 눈은 점점 붉은색으로 변했다. 케이는 제이에게 달려갔다. 제이의 주머니에서 뭐가 나왔다. 바로 케이에게 줄 우정 반지였다. 이미 제이의 손에는 반지가 껴져 있었다. 케이에게 눈을 맞으며 같이 놀다가 반지를 주려던 것이었다. 케이는 더 크게 울었다. 주변 사람들은 119에 신고하고 괜찮냐고 물어보기 바빴다. 하지만 케이는 아무것도 들리지 않았다. 제이의 머리에서 나는 피는 케이의 하얀 패딩을 붉게 물들였다. 케이는 제이에게 정신을 잃으면 안된다고 얘기했다. 제이는 눈물만 흘렸다. 그리고는 뭐라고 조그맣게 얘기했다. 케이는 제이의 입에다 귀를 갖다 댔다. 제이가 케이에게 울먹이며 말을 했다. 제이는 점점 숨을 가쁘게 쉬었다.

"너무 졸려."

제이의 말을 들은 케이는 제이가 영원히 잠들까 봐 무서웠다. 케이는 제이의 손을 꼭 잡고 있었다. 제이의 손은 점점 차가워졌다. 머리를 다쳐서 이미 피를 많이 흘린 상태였다. 케이는 제이가 춥지 않게 자기의 옷을 덮어주었다.


### <구급차>

119에 신고한지 20분이 넘어서야 구급차가 도착했다. 케이는 제이와 같이 구급차에 탔다. 구급대원이 제이의 심박수를 측정하고 머리에 붕대를 감았다. 제이가 의식을 잃지 않도록 계속 말을 걸었다. 이름이 무엇인지 어디에 사는지 등등 구급대원이 계속 물었다. 하지만 제이는 갈수록 구급대원에 질문에 대답하지 못했다.

"더 빨리 가주세요!"

구급대원이 말했다. 병원에 도착할 때까지 케이는 아무 말도 하지 못했다. 그렇게 병원에 도착했다.


## <수술>

제이는 바로 수술실로 들어갔다. 케이는 긴장이 풀렸는지 바닥에 주저앉았다. 조용히 눈물을 흘렸다. 제이가 수술받는 동안 수술실 곁을 떠나지 않았다. 제이의 할머니, 할아버지가 집에 가도 된다고 말하셨지만 케이는 제이의 수술실 앞을 지켰다. 제이의 수술은 새벽까지 이어졌다. 아침 5시 30분에 끝나야 할 수술이 5시간도 안돼서 의사가 나왔다. 이상한 생각이 들었다. 왜 지금 의사가 나오는지 조금은 예상이 가지만 그 예상을 믿고 싶지 않았다. 의사는 고개를 푹 숙이며 "죄송합니다."라고 말했다. 제이의 할머니, 할아버지는 대성통곡을 하셨다. 들어갈 수만 있다면 당장 수술실 안으로 들어가고 싶었다. 제이가 회복해서 케이와 예전처럼 노는 걸 상상했는데. 제이가 수술실에 들어갈 때의 모습은 피투성이였지만 수술실 밖을 나왔을 때는 다시 말끔한 옷차림을 하고 나올 줄 알았는데. 다시는 저 수술실 안에서 못 나온다는 생각을 하니 앞이 캄캄했다. 제이는 중환자실이 아닌 장례식장으로 이송되었다.


## <현실>

케이는 병원 밖으로 나갔다. 벤치에 앉아서 하늘을 바라보았다. 그날의 날씨는 구름 한점 없는 날이었다. 병원 공원에는 환자복을 입은 사람들이 회복하며 보호자와 산책하고 있었다.

'제이가 죽지 않았더라면 저렇게 같이 산책하고, 얘기하며 걸을 수 있었

을 텐데.'

 그렇게 한참동안 사람들을 보고만 있었다. 노랑나비 한 마리가 날아와서 케이의 손등에 앉았다. 나비는 한참동안 날아가지 않았다. 제이가 나비가 되어 케이의 곁에 날아온 것 같았다. 한참동안 나비를 보고 있었다. 누군가가 케이를 큰 소리로 불렀다. 케이의 부모님이었다. 케이의 부모님은 해외 출장에 가셨다가 케이의 소식을 듣고 돌아오신 것이었다. 케이의 부모님은 케이의 상태를 보고 놀라셨다. 케이를 보자마자 안아주셨다. 케이의 옷차림만 봐도 어떤 일이 있었는지 대충 설명이 되었다. 피가 잔뜩 묻은 옷과 너무 울어서 퉁퉁 부은 눈과 긴장한 탓에 걷는 것조차 힘든 몸. 부모님은 지금 케이가 얼마나 힘든 지 아셨다. 케이가 얼마나 힘든 일을 겪었는지. 케이는 부모님을 만나 긴장이 풀렸는지 거의 쓰러지듯 부모님 품에 안겼다. 케이는 며칠 동안 집 밖으로 나가지 않았고, 아무것도 먹지 않았다.


<빈 자리>

 케이는 제이가 하늘나라로 간 것을 믿지 못했다. 학교에 가면 제이의 자리 위에는 하얀 국화 꽃만 올려져 있을 뿐. 제이를 다시는 만나지 못한다는 생각에 괴로웠다. 케이는 괴로움을 조금이라도 덜기 위해 해장국집으로 갔다. 하지만 해장국집은 없어지고 <임대>라는 종이 한 장만 붙여져 있었다. 잠시동안 가게를 멍하니 쳐다봤다. 그냥 눈물이 흘렀다. 저 가게가 제이 같아서. 어제까지 만해도 같이 있었던 사람이 갑자기 사라진다는 건 받아들이기 힘든 사실이었다. 제이가 좋아하던 것, 제이가 싫어하던 것, 생생히 기억하는데. 그 자리에 제이만 없는 게 믿기지 않았다. 가게 앞에서 한참동안 눈물을 흘렸다. 제이와의 추억이 있는 곳에 가면 괜찮아질 줄 알았는데, 생각이 많이 났다. 제이와 낙서한 곳에 갔다. 그대로였

다. 글자 하나하나가 다 살아 움직이는 것 같았다. 금방이라도 제이가 이 장소에 도착할 것 같았다. 한참동안 그 곳에 있다가 해가 진 후에야 집에 들어갔다. 이런 케이를 보는 부모님의 마음은 안타깝기만 했다.


### <상담>

케이의 부모님은 힘들어하는 케이를 보면서, 안되겠다 싶어서 정신과 상담을 받게 했다. 케이는 모래놀이 상담을 받았다. 모래 위에 여러가지 장식들로 꾸미는 방식이다. 케이의 마음 상태에 따라 모래가 어떻게 꾸며질지는 모른다. 케이의 마음이 괜찮다면 아름다운 모래 장식이 완성된다. 케이의 마음 상태가 괜찮지 않다면 어둡고 무서운 모래 장식이 완성된다. 케이의 마음상태는 전혀 괜찮지 않았다. 제이의 죽음이 케이에게는 평생 잊지 못할 일이 되어버렸다. 죽음은 누구나 갑자기 찾아오는 것이다. 하지만 죽음을 지켜보는 것은 쉽지 않은 일이다. 누군가에게는 트라우마가 될 수도 있다. 케이의 나이는 고작 16살이다. 16살이 견디기엔 큰 충격이었다. 케이는 계속 무기력하고 점점 어둠속으로 빠졌다. 하지만 꾸준히 하다 보니 선생님에게도 마음의 문을 열고 얘기하기 시작했다. 케이는 1년 동안 계속해서 모래놀이 상담을 받았다.


### <꿈 속 1>

그 날 저녁 케이는 자기 전에 낮에 다운받은 꿈 일기 앱을 열었다. 낮에 보건실에서 꾸었던 꿈을 적기 시작했다. 마지막 칸에 자신의 바램을 적으라고 써져 있었다. 제이와 '꿈속에서 다시 만나 오해를 꼭 풀길' 이라는 문장 하나를 쓰고 저장 버튼을 눌렀다. 감기기운 때문인지 빨리 잠들었다. 잠이든 케이는 꿈속으로 들어갔다. 온통 하얀 색으로 덮인 곳이었다. 하얀색은 그냥 딱딱한 벽이 아니라 구름처럼 몽글몽글하게 생겼다. 하얀색 물체는 솜사탕처럼 만져졌다. 솜사탕 같다는 생각에 한 입 베어 물었다. 케이는 한참동안 솜사탕을 먹었다. 5분쯤 지났을까? 갑자기 케이 앞에 날아다니는 햄스터 한 마리가 나타났다. 색깔은 연한 민트색이고, 몸집이 정말 작았다. 갑자기 자기 소개를 하기 시작했다. 이름은 초코. 나이는 300살. 성별은 남자. 가장 좋아하는 음식은 민트 초코. 케이는 초코를 보고 당황스럽기만 했다.

"넌 누구야?"

"나는 꿈 속에서 널 안내해줄 안내자야, 잘 부탁해."

"이 곳은 꿈 속이야. 우리는 원하는 걸 이 안에서 이루어지도록 도와주는 존재지. 아까 자기전에 네가 썼던 꿈 일기 기억나지? 그 꿈 일기 마지막에 네가 바라는 점을 쓰라고 했고. 너는 제이와 풀지 못한 오해를 풀고 싶다고 썼지? 내가 도와줄게! 우리에게 시간이 별로 없어. 인사를 하느라 시간이 많이 흘렀거든."

초코는 케이의 이야기를 들으며 어떤 방향으로 오해를 풀면 좋을지 케이와 같이 생각했다. 서로 싸우게 된 계기. 서로가 좋아하던 장소 등등. 솔직히 초코가 이렇게 케이에게 묻는 이유는 어떤 정보를 얻기 위해서는 아니다. 이런 이야기를 하면서 케이의 마음의 문을 열려고 하는 것이다. 둘은 한참 동안 이야기를 주고받았다. 시간이 다 되어 초코는 내일 다시 만나자고 약속했고, 케이의 알람이 울리면서 잠에서 깼다.


&lt;현실&gt;

케이는 꿈을 꾼건지 아닌지 어리둥절 할 뿐이었다. 멍하니 벽만 보며 침대에서 일어나지 못했다. 화장실에서 양치를 할 때도, 옷을 입으면서도 정신을 차리지 못했다. 케이는 방에 들어가 핸드폰을 집어 들었다. 어제 썼던 꿈 일기 앱을 열었다. 어제 썼던 일기에는 진행 중 이라는 표시 하나가 생겼다. 하지만 다시 앱으로는 들어가지지 않았다. 일단 학교 갈 준비를 했다. 표시를 본 케이는 혼란스러웠다. 케이의 엄마는 무슨 일 있냐며 표정이 안 좋다고 얘기했다. 아무 일 없다고 엄마가 걱정할까 봐 얼른 말을 돌렸다. 이후로도 학교에서 일기 앱을 생각했다. 궁금증은 커져갔다. 일기 앱은 낮에는 열리지 않았다. 일정을 끝내고 집으로 돌아가 꿈 속으로 돌아가고 싶은 맘뿐이었다. 학교에서도 친구들이 무슨 일 있냐며 물었다. 케이는 친구들이 걱정하는 게 싫어서 평소처럼 행동하려고 했다. 학교 끝나자 마자 바로 학원으로 달려갔다. 그 날은 수학 보강때문에 4시간 하는 날이었다. 하지만 케이의 머리속은 일기 앱 생각뿐이었다. 수업을 듣는 둥 마는 둥 선생님의 말씀도 귀에 잘 들어오지 않았다. 케이는 집에 도착해서 휴대폰을 켜고 앱을 눌렀는데 열리지 않았다. 씻고 나오면 켜질 것 같아서 1시간 동안 화장실에서 시간을 보냈다. 엄마가 왜 이렇게 오래 씻냐고 빨리 나오라고 화를 내셨다. 케이는 엄마의 불호령에 얼른 씻고 나왔다. 그리고 다시 앱을 열었다. 드디어 앱이 열렸다.

## <꿈 속 2>

또 다시 꿈속이었다. 꿈속에선 초코가 케이를 기다리고 있었다. 엄청 빨리 왔다며 기다리고 있었냐고 물었다.

초코는 케이에게 제이를 만날 준비가 되었냐고 물었다. 케이는 초코에게 조금만 시간을 달라고 얘기했다. 그렇게 만나고 싶었는데 막상 제이를 만나면 어떤 말을 할지. 그동안 얼마나 보고싶었는지. 꿈은 맞지만 케이에게는 엄청나게 중대한 일이니까. 초코는 제이를 만나러 가는 방법을 설명해주었다. 평소에 자주 갔던 곳을 떠올리면 그 곳으로 도착하는 방식이었다. 케이는 제이와 동식이네 해장국집을 갔던 걸 생각했다. 그대로였다. 초코는 당황했다.

"어? 이게 왜 안되지?"

분명 지금쯤이면 그 장소로 도착해야 하는데. 초코는 케이에게 자주 갔던 장소를 생각한 것이 맞냐고 물었다.

"그럼 왜 안되는 거지?"

"아! 혹시 지금 그 장소가 없어졌니?"

케이는 얼마 전 해장국집에 <임대>라는 종이가 붙어있던 걸 기억했다.

"그런 것 같아.가게에 얼마 전에 갔는데 <임대>라는 종이가 붙어있었어."

"지금 현재 있는 장소만 마법이 걸려, 다른 장소를 생각해봐."

케이는 해장국집 다음으로 많이 갔던 장소를 생각했다. 케이의 집 앞 놀이터였다. 케이는 105동 놀이터를 생각하며 다시 눈을 감았다. 눈을 떴더니 케이가 생각했던 놀이터에 도착했다.


<만남>

교복을 입은 여학생이 그네에 앉아있었다. 제이였다. 케이가 마지막으로 봤던 제이는 피투성이인 교복을 입고 있었는데, 다시 만난 제이는 누구보다 예쁘고 단정하게 옷을 차려 입고 있었다. 제이를 보자 마자 달려가서 안았다. 제이도 안아주며 보고싶었다고 얘기했다. 케이와 제이는 많은 말을 할 필요가 없었다. 서로를 안고만 있어도 복잡한 맘을 알 수 있고, 그동안 서로가 얼마나 힘들었는지 느낄 수 있었다.

### <제이의 숨겨진 사실>

제이는 같이 다니던 친구들에게 왕따를 당하고 있었다. 케이와 가장 친한 친구라는 이유로 말이다. 그 사실을 케이는 전혀 모르고 있었다. 제이가 말 할 수 없었던 이유는 케이를 너무 좋아했기 때문이다. 모든 사실을 듣고 나니 제이에게 미안했다. 미안하다는 말 밖에 나오지 않았다. 제이가 그동안 친구들에게 혼자서 견뎠을 생각을 하니까 화가 났다. 제이는 그 날 이 이야기를 하고 싶어서 만나자고 한 거라고 얘기했다. 케이는 이제라도 오해가 풀려서 다행이라고 말했다. 하지만 더 화가 나는 것은 제이를 괴롭혔던 아이들과 같이 지내고 있는 게 제이한테 너무 미안했다. 어떻게 제이에게 그렇게 하고 나와 친하게 지낼 수 있는지. 제이가 죽었을 때 그 아이들은 죄책감이라는 감정을 느끼긴 했을까? 케이는 제이에게 지금이라도 진실을 밝힐까? 물었다. 하지만 제이는 그러지 말라고 했다. "그냥 지난 일은 지난 일일뿐. 난 너랑 만나는 것만으로도 고맙고 감사해." 케이와 제이는 그동안 하고 싶었던 이야기들을 한없이 했다. 시간이 다 되어갔다. 꿈속에서 무지개가 떴다. 제이는 그 무지개속으로 걸어가며 인사를 하고 사라졌다.

### <일상생활>

엄마가 부르는 소리에 잠에서 깼다.

"무서운 꿈이라도 꾼거야?"

잠에서 깬 케이는 엄마를 꼭 안으면서 제이가 꿈에 나왔다고 말했다. 학교가는 길에 다시 한 번 꿈 일기 앱을 켰다. 꿈 일기 앱에는 확인 완료라는 파란 딱지로 바뀌어 있었다. 꿈 일기 앱은 사라졌다. 케이는 더 이상 꿈 일기 앱이 필요하지 않았다.

&lt;제이의 편지&gt;

 너를 만나고 나의 학교생활이 달라졌어. 우울했던 내 학교생활을 밝게 만들어줘서 고마워. 네가 개학 첫 날 나에게 말을 걸어줘서 얼마나 고맙던지. 그 때 생각하면 아직도 두근거려. 중학교 생활이 처음이라 많이 떨리고 다 처음이라 설렜어. 그런데 그 모든 감정들을 너와 함께 느낄 수 있어서 너무 좋았어. 슬플 때 같이 슬프고, 기쁠 때 같이 기쁠 수 있는 그런 친구. 나에겐 너무 필요하고 바랬던 친구였는데 그 친구가 너여서 정말 다행이야. 이 반지, 생일날 주려고 여기다가 꽁꽁 숨겨놨는데 네가 찾을 수 있을지 모르겠다. 날씨 보니까 네 생일날 첫 눈이 내린대. 너랑 그 날 하고싶은 게 너무 많아.


&lt;죽음을 맞이하는 방법&gt;

 케이의 마음은 며칠 전 까지만 해도 공허함으로 가득 찼다. 이제 제이와의 시간 이후로 공허함이 따뜻함으로 바뀌었다. 평생 제이를 그리워하며 살 것이다. 하지만 이번 기회를 통해 케이는 소중한 사람을 잃은 것에 대해 많은 걸 배웠다. 케이는 그 후로 제이의 빈소도 자주 들렀다. 케이는 일상생활로 돌아와 학교생활도 잘했다. 제이를 괴롭힌 친구들과는 뒤도 돌아보지 않고 바로 손절했다. 제이의 할머니, 할아버지한테도 찾아갔다. 두 분은 얼마되지 않아 돌아가셨다. 할머니, 할아버지는 손을 꼭 잡고 같은 날에 돌아가셨다. 이제는 제이가 외롭지 않겠구나. 제이의 빈소 옆에는 제이의 할머니, 할아버지가 있다. 케이와 케이의 부모님도 빈소에 찾아와 말동무를 해주신다.
 누군가의 죽음은 갑작스럽게 찾아온다. 그게 교통사고라든지 어떤 병이 찾아올 때도 갑작스럽다. 우리는 이런 갑작스러움에 많이 당황하고 두려워하곤 한다. 어제까지만 해도 나와 같이 웃고, 나와 같이 놀고, 나와 같이 대화하고, 심지어 같이 사는 사람들이었는데, 아침에 문을 열고 나가 그 문을 다시는 열고 들어오지 못하는 경우도 많다. 얼마나 슬플까? 그 빈자리는 너무도 크게 느껴질 수 밖에 없다. 매일을 같이 지내다가 갑자기 없어지면 당황스럽고 마음이 이상할 테니까. 슬프면 울어도 된다. 슬픈 마음을 숨기지는 말자. 그게 정상적인 감정이니까. 슬픈 마음을 숨기고 외면하면 감정은 점점 더 커져 더 큰 아픔을 겪게 될 수 있으니까. 죽음은 누구나 언젠가 맞이해야 하는 것이고, 누군가를 떠나 보내야하는 것은 쉽지 않다. 누군가 세상을 떠나면 떠난 후에야 보고 싶어하고, 그리워하고 후회하곤 한다. 있을 때, 살아있을 때, 말하고 싶은 거, 하고 싶은 거, 하며 살자. 죽음은 천천히 받아들이면 되는 것이다.

## 2. 어느날 갑자기 메리가 떠났다

### <첫 번째 강아지와의 만남>

어릴 때부터 강아지를 키우고 싶어했다. 하지만 엄마, 아빠는 어려서 아직 안된다고만 하셨다. 열 살 때 엄마, 아빠가 푸들 한 마리를 선물 해주셨다. 이름은 골드였다. 털 색깔이 갈색이어서 그렇게 지었다. 똥도 잘 치우고, 밥도 잘 주고, 배변 패드도 잘 갈아주고 뭐든 할 수 있을 것 같았다. 처음에는 엄마, 아빠가 시키지 않아도 잘했다. 하지만 시간이 지나면서 강아지를 관리하는 게 귀찮아지기 시작했다.

엄마, 아빠는 잔소리를 하셨다. 어느 순간부터 밥 주기, 똥 치우기 등 내가 할 일을 엄마, 아빠가 하셨다. 어느 날 엄마, 아빠는 나를 불러 말씀하셨다.

"이렇게 관리 안 하면 다른 사람에게 보낼거야."

청천벽력 같은 소리였다. 엄마, 아빠의 이야기를 듣고 열심히 했다. 하지만 얼마 못 가서 다시 관리를 해주지 않았다. 얼마 후 엄마, 아빠는 나에게 말도 하지 않고 다른 지인에게 골드를 보내기로 했다. 집으로 돌아왔는데, 골드를 하우스에 넣어서 어디로 데려가는 것이었다. 골드 어디 가냐고 물었다.

"네가 엄마, 아빠랑 약속을 안 지켜서 보내는거야."

도저히 받아들일 수 없는 말이었다. 하지만 엄마에게 골드를 데려가지 말라고 얘기할 수 없었다. 골드를 갑자기 데려가는 건 정말 슬픈 일이었지만 제대로 관리를 못했던 건 사실이니까. 결국 골드를 붙잡지 못하고 보내줄 수 밖에 없었다.

### <메리와의 첫 만남>

 12월, 많은 것 들이 생각나는 달이다. 크리스마스, 선물, 연인, 이런 것들로 가슴이 두근거린다. 집에 도착할 때쯤 엄마에게서 전화 한통이 왔다. 얼른 집에 오라는 전화였다. 선물을 준비했나 싶어 얼른 집으로 달려갔다. 엘리베이터를 기다리는 동안에도 설레임이 가시질 않았다. 엘리베이터가 열리자 마자 현관 비밀번호를 눌렀다. 문을 여는 순간 새하얀 무언가가 우리집 한 가운데에 있었다. 할머니의 크리스마스 선물이었다. 강아지는 하얗고 작았다. 몸집은 두루마리 휴지 크기였고, 털 색깔은 갓 뽑아낸 가래떡 같았다. 아기라서 코랑 발바닥이 연핑크 빛이었다. 신나는 마음에 소리를 질렀다. 강아지가 큰 목소리에 놀랐는지 몸을 떨었다. 잡으면 사르르 없어질 것 같았다. 머리를 쓰다듬는데 솜사탕을 만지고 있는 느낌이었다. 만지고 있으면 기분이 좋아지는 느낌이랄까? 할머니는 나에게 서프라이즈를 해주려고 아침부터 와계셨다고 하셨다. 강아지 용품까지 사주셨다. 할머니 덕분에 가장 행복한 크리스마스였다. 강아지의 이름은 메리로 지었다. 메리크리스마스 메리!


### <첫 산책>

 메리와 첫 산책을 하기 위해 집에서 연습을 했다. 목줄이 처음인 메리는 줄을 차고 잘 걷지 못했다. 메리가 목줄에 적응할 수 있도록 매일 연습했다. 일주일 후면 메리와 산책할 수 있을 것 같아 설레는 마음으로 참았다. 메리는 처음 맞아보는 바깥 공기가 무서운지 발을 내밀지 않았다. 메리가 무섭지 않게 인적이 드문 곳까지 메리를 안고 걸어갔다. 안고 갈 때에는 메리가 편해 보였다. 사람들이 없어서 그런지 내려 달라고 몸을 움직였다. 안고 있던 메리를 내려줬다. 생각보다 메리는 잘 적응하며 뛰어다녔다.

마음 깊숙한 곳에서 뿌듯함이 올라왔다. 메리랑 이곳저곳 다니면서 사진도 찍었다. 메리가 걷다가 잘 오지 않으면 간식으로 유인해 다시 걷게 하기도 했다. 메리랑 산책을 하고 들어갔다. 집에 와서 메리를 씻기고 드라이기로 털을 말려주었다. 산책을 많이 해서 피곤했는지 메리는 그대로 잠이 들었다. 드라이기 소리가 컸을 텐데도 털을 말리는 동안 메리는 일어나지 않고 계속 잤다.

## <사고뭉치 메리>

메리는 우리집에 익숙해졌다. 장난감 가지고 놀아 달라고도 하고, 물건이 있으면 물건도 쓰러뜨렸다. 메리가 이 갈이를 할 시기여서 아무거나 물어뜯었다. 손가락을 소시지처럼 생각하는지 시도 때도 없이 깨물었다. 씻을 때는 바가지에 있는 비눗물을 마셨다. 아무리 말려도 메리는 말을 듣지 않았다.

## <처음 본 기생충>

메리는 잘 먹고, 잘 싸는 강아지였다. 밥을 주면 먹고나서, 5분 후에 똥을 쌌다. 어느 날 아빠가 메리의 배변패드를 보고 기겁을 했다. 무슨 일이 난 줄 알고 달려갔다. 보게 된 것들은 끔찍했다. 기생충이었다. 메리의 배변패드에 기생충이 있었다. 기다란 연가시같이 생긴 기생충들이 메리의 배변패드를 차지하고 있었다. 나와 아빠는 충격 받은 표정으로 가만히 서 있었다. 기생충들은 보기만해도 구역질이 나올 것 같은 모양이었다. 메리의 배변과 같이 기생충들은 뒤엉켜 있었다. 처음보는 기생충들은 배변패드 위에서 꿈틀댔다. 엄마는 왜 거기서 둘이 멀뚱히 서있냐고 물었다.

"엄마 이것 좀 봐봐."

엄마도 기생충을 보았다. 엄마는 기겁을 하며 저게 뭐냐며 얼른 치우라고 했다. 아빠와 나는 징그러운 기생충들을 어떻게 처리할지 고민했다. 기생충을 처음 본 신기한 마음에 배변패드 쪽으로 갔다. 아빠는 나를 붙잡으며 방으로 들어가 있으라고 이야기했다. 하지만 아빠의 말을 듣지 않고 소파에 앉아 있었다. 아빠가 기생충을 휴지통에 버릴때 얼굴을 찌푸리며 보았다. 기생충들은 휴지통에 들어갈 때도 꿈틀거리며 들어갔다. 기생충들이 휴지통을 뚫고 나올까봐 무서웠다. 내 몸에 기생충들이 기어다니는 기분이었다.


### <또 다시 찾아온 이별>

메리의 몸에서 기생충이 나왔는데 메리가 아플까봐 걱정되어 메리한테 가봤다. 하지만 메리의 상태도 괜찮아 보이지 않았다. 강아지들은 1년에 한 번씩 구충제를 먹어야 하는데 메리에게 깜빡하고 구충제를 먹이는 것을 잊었다. 아빠는 얼른 약국에 가서 구충제를 사다가 먹였다. 메리는 기운이 없는지 꼼짝도 하지 않고 엎드려 있었다. 밝고 활기찬 모습만 봤는데 기운 없는 메리를 보니 괜히 마음이 아팠다. 다음날에는 메리가 좀 괜찮아 진 것 같았다. 엄마는 메리를 보고 충격 받으셨고, 아빠도 이렇게는 메리가 행복하게 살 수 없을 것 같다고 얘기했다. 엄마, 아빠의 말에 반박할 수 없었다. 예전에는 마냥 메리가 좋기만 했는데, 조금씩 시간이 지나면서 메리에 대한 관심도 사라졌다. 이런 나 자신이 한심했다. 동물을 키운다는 건 어려운 일이다. 신중하게 생각하고 입양해야 하는데 그러지 못한 것 같아서 나 자신이 미웠다. 처음에는 귀엽다는 생각 하나만으로 입양하는데, 점점 관심이 사라지고 바쁘다 보니 강아지는 외로워지는 것 같다. 그래서 사람들이 선택한 방법은 결국 또 다른 사람에게 보내는 것이다. 많은 강아지들은 버려지고 또다시 입양된다. 강아지 뿐만 아니라 다른 동물들도 소중하게 생각해야 하는데, 그게 쉽지 않은 것 같다. 동물을 키우는 것도 또 다른 생명 하나를 키우는 건데. 사람들은 그저 귀엽다, 예쁘다, 사랑스럽다 말로만 사랑해주는 것 같다. 나는 겉으로는 괜찮다고 했다. 진짜 진심은 그게 아닌데. 솔직히 메리를 보내고 싶지 않았다. 하지만 지난날을 되돌아보니 내가 메리에게 사랑을 덜 주는 게 보였다. 그래서 생각했다. '조금만 뒤돌아봐도 메리에 대한 관심이 줄어든 게 보이는데 앞으로 얼마나 더 잘해줄 수 있을까?' 라는 생각에 메리를 보내야 겠다고 마음먹었다. 엄마는 나에게 일주일의 시간을 주었다. 잘 생각해보라고. 얼마 되지 않아 생각을 정리했고, 남은 시간은 메리와의 소중한 시간을 만들어 보기로 했다. 사람은 웃긴 존재인 것 같다. 있을 때 잘하지 떠나니까 붙잡고 싶은 마음이었다. 남은 시간동안 메리와 산책도 하고, 사진도 많이 찍었다.

'아. 내가 진작 이렇게 했으면 얼마나 좋았을까?'

메리를 보낼 시간이 왔다.

'이렇게 일주일이 짧은 시간이었나?'

그래도 메리를 보낼 때 멋지게 보내주고 싶었다. 엄마의 지인이 와서 메리를 데려갈 준비를 했다. 엄마랑 이모가 이야기를 나눌 동안 메리와 이야기하고 있었다.

"거기 가서도 잘 지내야 돼."

엄마에게 지금이라도 메리를 못 보내겠다고 이야기를 해야 하나? 머리 속으로 수십 번 고민했던 것 같다. 메리는 뭘 아는 것처럼 내 무릎 위에서 우는 것 같았다. 메리 눈에 눈물이 글썽거렸다. 이러다 메리를 못 보낼 것 같아서 얼른 인사를 하고 보내줬다. 메리가 탄 차가 보이지 않을 때까지 계속 지켜봤다. 나도 모르게 눈물이 주르륵 흘렀다. 엄마 품에 안겨서 한참을 울었다. 엄마는 나의 마음을 알았는지 아무 말없이 안아주었다. 메리를 떠나 보내고 한동안 힘들었다. 항상 나를 반겨주던 메리가 없으니까 허전했다. 메리와의 이별 후유증은 꽤 오래갔다. 길 가다가 말티즈 종류 강아지를 보면 메리가 생각나서 눈물이 나오려고 했다. 솔직히 골드가 떠날 땐 이정도까진 아니었는데, 마음이 더 아팠다. 메리까지 떠나 보내고 나니 이제는 어떤 동물이든 키우지 않겠다고 마음먹었다.

### <귀여운 강아지, 그리고 현실>

강아지는 귀엽다. 하지만 산책도 하루에 한 번은 꼭 해야 하고, 산책한 후에는 씻겨주어야 한다. 작은 강아지도 씻기기 힘든데 골든 리트리버처럼 큰 강아지는 얼마나 힘들까? 힘든 것도 힘들지만 시간도 오래 걸릴 거다. 때마다 밥도 주고 간식도 주고 장난감을 가지고 놀아주기도 해야 한다. 어렸을 땐 좋은 것만 보였는데, 커서 생각하니 다른 것들이 보였다. 무엇보다 강아지가 좀 싫어졌다. 강아지를 안으면 강아지 똥꼬에 있는 배설물이 바지에 묻을 것 같았다. 강아지 털도 많이 날리는 것 같고……,조금 크니 강아지에 대한 생각이 조금 바뀌었다. 예전에는 귀엽고 키우고 싶단 생각만 들었는데, 이제는 귀여운 건 귀여울 뿐. 키우고 싶다는 생각은 들지 않았다.

### <반려 동물과 함께 한다는 것>

사람들은 동물에게 얘기한다. 귀엽다, 키우고 싶다 등등 예쁜 말들을 쏟아내곤 한다. 하지만 사람들은 말한 것에 대해 그에 대한 책임을 다하지 못한다. 많은 강아지들이 입양되고 버려진다. 하지만 그 강아지들은 자신을 버린 주인을 평생 기억한다. 아무리 나쁘게 굴어도 자신의 주인이니까.

슬픈 일이다. 자신을 싫어하고 자신에게 못되게 구는데도 자신을 키워줬다는 이유로 평생 기억한다니. 사람들은 귀엽다는 이유 하나만으로 나중에 그 생명을 책임질 생각은 하지 않고 입양을 선택한다. 강아지 뿐 아니라 다른 동물들도 버려진다. 그래서 점점 길고양이, 길강아지들이 많아진다. 그 동물들을 버린 사람들은 부끄러워 해야 한다. 어떤 사람들은 동물을 버리고도 부끄러움 없이 살아간다. 그게 얼마나 부끄럽고 그 동물에게 미안해 해야 하는 일인지 모른다. 한 번쯤 생각해봤으면 좋겠다. 만약 자신의 반려 동물을 버리려고 하는 생각이 있다면 그러지 않았으면 좋겠다. 만약 자신이 그 버려지는 동물이 된다면 어떤 느낌일지 생각을 했으면 좋겠다.

### <메리에게 보내는 편지>

메리야 너를 보내고 많이 후회했어. 너를 보내지 말걸. 그 날 너를 보내고 나서 하루 종일 '괜찮아, 난 괜찮아.'라는 말만 머리속으로 되뇌었거든. 새 가족은 너를 정말 진심으로 사랑해주고 돌봐주는 좋은 할머니라고 들었어. 하루에도 몇번씩 산책하고. 맛있는 것도 챙겨 주신다고 전해 들었어. 사실... 말 못한 이야기가 있어. 우리 엄마는 강아지를 집 안에서 키우는 걸 허락하지 않으셨어. 골드와 메리, 둘다 한여름이든 한겨울이든 베란다에서 생활을 했어. 애기때는 그래도 집에서 생활하게 허락해 주셨는데, 강아지들이 크니까 베란다로 보냈어. 골드와 메리에게 미안했어. 여름에는 밖이 얼마나 더울지. 겨울에는 밖이 얼마나 추울지 아는데. 여름에는 더위를 먹을 수도 있고, 겨울에는 동상에 걸릴 수도 있는데 말이야. 하지만 우리 엄마를 탓할 필요도 없어. 낮에는 아빠 엄마가 없이 나 혼자 였는데 그때라도 강아지를 거실에 있게 할 수 있었는데, 그냥 두고 보기만 한 건 나니까. 그래서 아직도 골드와 메리가 있던 자리를 보면 괜히 미안하고 더 보고싶어져. 어렸을 땐 그게 그렇게 큰 잘못이라고 생각하지 않았어. 근데 다른 강아지들은 따뜻하고 시원하게 지내는걸 보니 그제서야 내가 잘못한 걸 알겠더라고. 내가 얼마나 강아지들에게 관심이 없었는지. 지금이라도 사과하고 싶어. 미안해, 메리야.

## 3. 어느날 갑자기 이모가 떠났다

### <나에게 이모는>

  나에게 이모는 소중한 사람이었다. 이모와의 추억을 떠올리면 좋은 기억 뿐이다. 지금도 이모가 너무 좋다. 이모와 커플 망토를 입고 개 다리 춤을 신나게 췄는데 가끔씩 그 춤이 그립기도 하다. 엄마는 내가 어렸을 때 피아노 레슨이 있어 이모가 나를 돌봐 줬다. 이모와 있는 시간은 재밌었다. 그리고 편안했다. 엄마와 있는 것처럼. 아기들은 어려도 자신을 사랑하는지 안 사랑하는지는 다 알 수 있다. 어린 나는 알고 있었던 것이다. '이 사람은 날 사랑하는 사람이구나 나를 맡겨도 되겠다.'라고. 이모와는 시간 가는 줄도 모르고 놀았다. 그렇게 시간은 눈 깜짝할 새 지나갔다.

### <멕시코와 이모부>

  7살 때 알프레도 이모부를 처음 봤다. 이모부는 외국인이어서 눈이 샤인 머스킷처럼 컸다. 제스처와 반응도 재미있었다. 그리고 아직도 생각나는 피냐타 파티. 아직도 재밌는 기억으로 남았다. 이 파티는 화려한 종이 인형 안에 사탕과 초콜릿을 넣고 그 안에 내용물을 꺼내는 놀이다. 아직도 재미있는 놀이와 시끄러운 소리들, 그리고 분위기가 기억난다. 이모부 덕분에 살면서 쉽게 접해보지 못한 경험들을 해본 것 같아 고마웠다. 이모부는 스페인어를 못 알아듣는 나를 위해 항상 서투른 한국말로 얘기 해주셨다. 그리고 스페인어를 가르쳐 주셨다. 숫자와 인사말 같은 간단한 단어들을 알려주셨다. 하지만 지금 생각나는 단어는 올라(안녕)와 그라시아스(고맙습니다) 밖에 생각이 나지 않는다. 말이 안 통하는데도 친절하게 웃으며 대해 주셨다. 어린 나에겐 너무나 신기했다. 말투도 억양도 다르니까.

이모와 이모부가 이어질 수 있었던 것은 이모는 스페인어를 전공해서 스페인어를 사용하는 멕시코인과도 대화를 쉽게 할 수 있었다. 그렇게 이모는 알프레도 이모부와 꽤 오래 연애를 하고 내가 초등학교 3학년때 우리 가족을 멕시코로 초대했다. 나는 첫 해외여행이 멕시코여서 조금 긴장하기도 했다. 멕시코는 우리나라와 정반대여서 24시간이나 걸리기 때문이다. 그렇게 두근거리는 마음을 붙잡고 새벽 비행기를 탔다. 일본 공항에 내렸다. 일본 공항에는 아기자기한 간식 미니어처들이 많아서 잡히는 데로 마구잡이로 샀다. 일본공항에서 산 미니어처 도시락 지우개가 아직 집에 있다. 다시 비행기를 탔다. 비행기 안에서 잠만 잤는데 아무리 자고 일어나도 비행기 안이었다. 살면서 시간이 이렇게 안가는 날은 그때가 처음이었던 같다. 지루해서 '보스 베이비'라는 최애 영화를 보며 지루함을 견뎌냈다. 아직도 기억난다 보스 베이비 영화만 7번도 넘게 봤었던 것. 비행기 안에서는 긴 시간으로 인해 지루하고 답답하기도 했지만 지금까지 내 머리속에 생생하게 남아있는 걸 보면 의미있는 시간이었던 것 같다.

우리는 멕시코의 수도인 멕시코 시티에 도착했다. 그곳에는 멕시코에서 유명한 영화배우들의 별장이 많아서 경찰들이 어마어마하게 많았다. 덤프트럭을 타고 그 위에서 총기를 들고 지키고 있었다. 그제서야 진짜 외국에 왔구나를 실감했다. 진짜 총을 들고 있어서 조금 무서웠다. 곧 알프레도 이모부 집에 도착했다. 이모부의 가족분들이 반갑게 반겨 주셨다. 내 머리속에 깊게 박힌 삼촌이름이 있었다. 바로 올라프라는 삼촌이었다. 실제로는 올라프가 아니지만 나에게는 그렇게 들렸던 것 같다. 그래서 거기 있는 동안 그 삼촌을 올라프 삼촌이라고 불렀다. 도착했을 때는 벌써부터 파티를 준비하고 있었다. 우리에게 멕시코 전통 옷을 주었다. 그 옷을 입고 노래도 듣고, 춤을 추며 같이 파티를 즐겼다. 내 또래 아이 2명이 있었는데 소통이 어려워 번역기를 이용해 소통을 했었던 기억이 난다. 친구들도 번역기를 써서 이야기를 알아듣고 대답도 해주었다. 비행기에서 오랜시간 동안 있어서 피곤했다. 하지만 파티가 재미있어서 졸음이 날아갔다. 우리는 밤새 파티를 즐겼다.

  다음날 뷔페처럼 멕시코의 전통 음식들을 대접해 주셨다. 다들 음식을 맛있게 즐겼다. 그리고 어떤 물을 주셨는데  아직도 생각난다. 그건 그냥 물이 아니었던 것 같다. 코코넛을 굉장히 좋아하는 나는 그런 부드러운 맛의 물이 굉장히 마음에 들었다. 하지만 문제는 멕시코에 10일동안 있어야 하는데 음식이 입맛에 맞지 않았다. 멕시코의 음식들은 간이 세기로 유명한데 어린 나에겐 맵고 짠 음식들이 많았다. 햄버거 집에 가서 햄버거와 달걀 스크램블만 먹었다. 다음날은 사파리에 갔다. 멕시코 사파리는 우리나라와는 달리 개방적이었다. 그래서 좀 무섭기도 하고 신기하기도 했다 하지만 동물들을 더 가까이 볼 수 있어서 사진도 예쁘게 찍을 수 있었다. 멕시코에서 색다른 경험이어서 좋은 기억으로 남았다. 그리고 레니라는 여자아이도 다음날 처음 만났다. 나랑 1살 차이었는데 멕시코에 있는 동안 정말 좋은 베프가 되었다. 어딜가든 시간이 너무 오래 걸려 차 안에서 있는 시간이 많았는데 레니 덕분에 심심하지 않았다. 다음날은 테오티후악칸이라는 피라미드에 갔다. 미스터리한 피라미드라 지금은 눈으로만 구경할 수 있다고 한다. 피라미드 위에서 다같이 사진을 찍으며 놀았다. 시원한 바람을 맞으며 여유를 즐겼다. 피라미드를 직접 본게 처음이라서 신기하기도 했지만, 생각했던 것보다 피라미드는 훨씬 커서 더 신기했다.

# <상상도 못했던 일>

하지만 행복한 순간은 여기까지였다. 우린 그 곳에 갔으면 안됐다. 그냥 잠시 동안만 좋았던 기억으로만 남은 멕시코 여행. 자세히는 기억이 나지 않는다. 당시 나는 초등학교 3학년이었으니까. 피라미드 아래로 내려오고 나서부터 엄마, 아빠는 투닥거리며 싸웠다. 그러더니 밤에는 커다란 대관람차 앞에서 싸웠다. 나는 엄마 등에서 잠이 들었는데, 우연히 싸우는 걸 들었다. 그때 내 머리위에 덮어져 있던 담요 속 안에서 울지 말고 '엄마, 아빠 싸우지 말아요.'라고 말할 걸 그랬다. 혹시라도 내가 우는 걸 엄마가 눈치챌 까봐 조용히 숨죽이며 울었다. 그렇게 엄마,아빠가 호텔로 이동하고 나는 다시 그 이야기를 못 들은 척 자는 척을 했다. 너무 많이 울어서 머리가 아팠다. 기절하듯 잠이 들었다.

아침에 푹 잘 자고 일어났는데, 갑자기 엄마, 아빠가 이모랑 싸우기 시작했다. 나는 그런 모습을 처음보고 무서워서 울음이 터져버렸다. 이모가 그렇게 화를 내는 것도, 사이가 좋던 엄마와 이모가 서로 화를 내며 싸우는 것도, 모두 처음 보는 것이었기에 놀라고 무서웠다. 잘 자고 일어나서 왜 갑자기 이모와 엄마가 싸우고 있는거지? 내가 자는 동안 무슨 일이 있었나? 오만가지 생각들이 내 머리를 스쳐갔다. 화가 난 엄마, 아빠는 차를 타고 다른 호텔로 이동했다. 이모는 우리 호텔을 잡아 주겠다고 따라왔다. 아직도 생각난다. 이모의 다급한 눈빛과 화가 잔뜩 난 엄마, 아빠의 눈빛이. 솔직히 다시 생각하면 이모의 마음이 이해가 간다. 왜냐하면 이모는 남편의 가족들을 만나는 건데, 우리가 그렇게 와버리면 이모의 뒷감당은 힘들었을 것이다. 알프레도 이모부의 가족들에게 우리가 갑자기 왜 떠났는지 설명하고 미안하다고 사과해야 했기 때문이다. 그렇게 치면 엄마, 아빠가 잘못도 있을 것이다. 이모와 엄마는 사이가 좋은 자매였는데, 서로 싸우니까 이상한 감정들이 올라왔다. 우리끼리 남은 멕시코 여행을 끝냈다. 그때 나는 이모랑 그런 사이가 될 줄은 상상도 못했다. 그래서 그냥 살짝 다투기만 한거구나 생각하고 남은 멕시코 여행을 즐겁게 보냈다. 하지만 엄마는 집에 와서 나에게 청천벽력 같은 말을 했다.

"이제 이모 못 만나."

한 문장으로 이모와의 사이를 갈라놓아버렸다. 심장이 내 배 밑으로 떨어지는 느낌이 났다.

'이게 무슨 말이지?'

도무지 이해가 가지 않았다. 싸우기는 했지만 이렇게 심각한 일이었나? 머릿속엔 궁금한게 많았지만, 내 귀에 박힌 말 '이제 이모 못 만나.'

그렇게 심각한 일이었구나……. 난 그제서야 깨달았다. 살짝 다툰 게 아니었구나. 엄마의 말이 장난이 아니라 진심으로 하는 말이구나.

'이모가 너무 좋은데 이제 이모를 정말 못 보는 건가? 그럼 어떡하지? 이모가 내 연락도 안받아주려나?'

내 머리속은 물음표로 가득 찼다. 물음표 뒤엔 슬픔이 찾아왔다. 멕시코를 갔다 오고 나서 이모를 만나지 못했다. 처음에는 이모가 너무나 보고 싶었지만 점점 이모를 잊고 사는 것 같은 느낌이 들었다. 어느 날 엄마는 이모가 임신을 했다고 말했다.


**<이모네 집>**

엄마는 이모가 보고싶으면 보러 가도 된다고 했다. 근데 생각해보니 엄마, 아빠와 싸운 것뿐이지 이모와 나와의 관계는 여전하다. 이모가 애기를 낳은 지 얼마 안되서 이모네 집을 놀러갔다. 차 안에서 별 생각을 다했다.

'이모가 나를 안 반겨주면 어떡하지? 어색하면 어떡하지? 다시 집에 와야 하나?'

하지만 이모는 밝은 얼굴로 반겨주었다. 이모의 신혼집은 멕시코에 가기 전에 손에 꼽을 수 있을 만큼 적게 가봤다. 집에는 아기용품이 가득했다. 이모의 아기는 정말 예뻤다. 눈이 정말 크고 알프레도 이모부를 많이 닮았다. 나는 아기와 잘 놀았다. 이모는 달달한 젤리들을 주었다. 이모와의 추억이 새록새록 떠올랐다. 이모는 밖에 데려가서 맛있는 음식들을 사주었다. 그때 이모가 운전하는 걸 처음 봤다. 이모는 운전도 잘했다. 이모와 단 둘이 있는 그 순간에는 입이 귀에 걸릴 듯이 웃기만 했다. 이모와의 오랜만의 데이트라서 좋았다. 이모는 옛날과 바뀐 게 하나도 없었다. 그래서 더 좋았다. 한결같아서. 나한테만큼은 똑같아서. 그렇게 얘기도하고 재밌게 놀았다. 그 이후로 이모네 집에 한번 더 갔다. 그때 내 마음이 아팠던 것은 이모네 집 앞에서 엄마는 내가 집에 갈 때까지 차안에서 기다렸던 것이다. 몇 발자국만 걸으면 바로 이모 집인데……, 안타까웠다. 그냥 이 상황이.

'어쩌다가 이렇게 됐을까? 친하고 서로를 사랑했던 사람들이 어떤 감정 때문에 이렇게 멀어졌을까? 별 것도 아닌 걸로 왜 서로를 미워하는 사이가 됐을까? 우리가 다시 예전처럼 돌아갈 수 있을까?'

시간이 지나고 학원을 다니느라 바빠서 이모네 집에 갈 수 있는 기회가 없었다. 이모는 그 사이 둘째가 생겼다. 이번에는 예쁜 여자아이였다. 하지만 학년이 올라갈수록 이모를 보는게 불편해졌다. 이모도 이제 두 아이의 엄마이기 때문에 지켜야 할 사람들이 많으니까. 내가 가면 이제는 나를 챙겨주는 게 아니라 이모의 아이들도 챙기기 바쁠 것 같아서 섣불리 가기가 망설여졌다. 둘째 아이는 할머니를 통해 사진으로만 보고 직접 보진 못했다. 할머니네로 놀러갔을 때 이모와 영상통화도 몇 번했다. 추석이라서 할머니집에 갔는데 다음날 아침 갑자기 이모가 추석이라고 할머니네로 오고 있다고 얘기했다. 엄마,아빠한테는 청천벽력 같은 소리였다. 얼른 짐을 챙겨서 집에 갈 준비를 했다. 나는 이모에게 우리가 왔었다는 증거를 남기고 싶어 얼른 종이에다가 이모라는 글자를 써 놓고 이모와 닮은 생김새로 큰 눈과 작은 얼굴 오똑한 코까지 그리고 이모의 날씬한 체형을 그려 이모를 완성시켰다.  과연 이모는 내 그림을 봤을까? 아직도 궁금하다. 뭘 바란 것은 아니었다. 단지 그냥 이모가 내 마음을 알아줬으면 했던 것뿐이다. 이모를 많이 보고싶어 한다고 말이다. 지금까지도 우리는 화해하지 못한 상황이다.


## <더 먼 곳으로>

  얼마 전 이모는 미국으로 떠났다. 한달 전 할머니가 말해줬다. 알프레도 이모부가 미국 출장이 많기도 해서 미국으로 가야하는 것이다. 이모는 미국가서 2~3년 정도 미국에 있을 거라고 말했다.
  '하지만 이모가 또 이렇게 떠나버리면 나는 어떡하지?'
  이모에 대한 슬픔은 더욱 커져만 갔다.
  '이제는 이모를 한국에서도 볼 수 없구나. 이제는 내가 성인이 되어도 이모를 못 볼 수도 있겠구나.'
  이모를 더 이상 못 본다는 불안함만 커져갔다. 그래서 며칠동안 이모 생각만 했다.
  '이모가 미국에 갈 때 할머니랑 같이 이모 마중을 나가야하나? 갑자기 몇 년 만에 잘 갔다 오라며 마중을 나가면 이모가 날 반겨줄까?' 수백 번 생각했다.
  일주일 동안 일에 집중도 제대로 하지 못했다. 남들이 보기에는 뭘 저렇게까지 고민해? 생각할 수 있겠지만 나에게는 엄청나게 고민하고 또 고민해야 하는 일이었으니까. 이모와의 관계를 누구한테도 얘기 한적이 없었지만 한달도 채 남지 않은 상황이어서 너무나 간절했다. 그래서 친구들에게도 물어봤다. 어떻게 하는게 좋을 것 같냐고. 그래서 내린 결론은 이모를 마중 나가는 게 맞는 것 같다는 의견이었다. 내가 생각해도 이모를 마중 나가는 게 맞는 것 같았다. 이모를 언제 또 볼 수 있을지 모르니까. 그래서 결국 이모를 마중 나갔다. 할머니와 같이. 이모에게 전할 편지도 썼다.

이모는 내가 쓴 편지를 읽었을까? 궁금하다. 이모를 몇 년 만에 만나 반갑게 인사를 했다. 이모는 날 보자 마자 안아주었고 눈시울이 살짝 붉어졌다. 눈물이 나올 것 같았다.

이모가 날 아직까지 좋아하고 있구나 확인 받은 느낌이었다. 하지만 눈물을 꾹 참았다. 그리고 알프레도 이모부는 예림이 맞냐고 계속 확인하며 장난을 치셨다. 이모는 미국으로 가져갈 짐이 한가득이었다. 그동안 이모의 아들과 사진도 찍고 서로 통성명까지 했다. 도넛도 하나씩 사서 의자에 앉아 사이 좋게 나눠 먹었다. 기분이 이상했다. 이모의 아들과 대화를 하면서 맛있는 걸 나눠 먹고 있는 게. 떠날 시간이 되었다. 이모를 미국으로 보냈다. 할머니와 나는 의자에 앉았다. 둘 다 눈물을 흘렸다. 서로에게 너무나 소중한 사람을 먼 곳으로 보냈기에 슬픈 것은 당연했다. 할머니가 어린아이처럼 우는 걸 보고 마음이 찡 했다. 더 있다 가는 마음이 더 아파질 것 같아서 엄마에게 이모를 잘 보내줬다고 연락하고 집으로 돌아왔다. 엄마와 이모는 화해할 수도 있었다. 충분히 마음만 먹으면 화해할 기회는 많았는데 서로 용기가 없어서 그랬던 것 같다.

그래도 언젠간 서로 다시 옛날처럼 돌아가서 친한 언니, 동생 사이가 될 수 있겠지? 그런 날이 오겠지? 진짜로 왔으면 좋겠다. 별것도 아닌 일로 가족을 안 보고 사는게 이해가 가지 않는다. 그리고 알프레도 이모부 가족들 앞에서 창피하지도 않나 싶다. 서로 자존심 때문에 화해를 안 하고 있는 것 같다.

"언니, 내가 그때 그래서 미안해."

"그래, 나도 미안 했어."

자신이 사과하고 싶은 것을 말하는 것은 누구에게나 어려운 일이지만 마음만 먹으면 쉬운 일인데. 엄마와 이모도 용기를 냈으면 좋겠다. 하지만 내가 이런 말할 처지는 아니다. 나도 내가 말하고 싶은 걸 말하지 못해서 후회할 때도 많았으니까. 나도 이모와 엄마에게 내 마음을 이 상황에 대해 표현해보지 않은 것 같다. 엄마와 사과해보는 건 어떻겠냐고 물어보고 설득해 보지도 않았다. 다시 되돌아보면 엄마와 이모에게 물어볼 걸 그랬나 후회가 된다. 내가 한 번이라도 물어봤으면 엄마와 이모의 마음이 조금은 움직이지 않았을까?

　이미 지나간 일인데 계속 후회만 한다. 이모가 미국으로 떠나기 전 건넸던 편지에 내 마음을 온전히 다 전했어야 하는데 그냥 잘 갔다 와라, 이모 많이 사랑한다. 이런 말만 전한 것 같다. 사실대로 말하고 싶은 말을 전할까 고민했다. 하지만 그렇게 얘기했다가 이모가 싫어할까 봐 이모와의 관계가 불편해질까봐 말을 못 했다. 이모와 그 날의 오해를 하나하나 풀어나갈 수 있을까? 그때까지 내 마음의 크기가 강낭콩에서 좀 더 큰 새싹으로 자라 있으면 좋겠다. 미국에 가서 이모와 오해를 풀고 엄마와 화해해 보는 게 어떠냐고 물어보고 싶다.


## <전하지 못한 편지>

　이모가 갑자기 미국에 간다고 해서 놀랐어. 내가 항상 이모 응원하고 엄청 사랑하는 거 알지? 요새 들어 이모가 더 보고싶어. 이모랑 데이트하면서 맛있는 것도 먹고 쇼핑도 하고싶어. 이모는 나한테 정말 좋은 사람, 멋진 사람이야. 어릴 때부터 이모가 날 너무 좋아해주고 사랑해줘서 고마워. 사실 싸움이 이렇게까지 길게 올 줄 몰랐어. 이모가 다시 엄마, 아빠와 화해했으면 좋겠어. 진심이야. 사실 나도 이 편지를 쓰면서 많이 고민했어. 이모가 이 일에 대한 이야기를 다시 꺼내서 싫어하고 내 편지를 끝까지 읽지 않을까 봐. 내 마음을 제대로 전하지 못할까 봐. 이모, 가족인데 이렇게 싸워서 서로 얼굴 보지 않으며 지내지 말자. 다시 화해하고 예전처럼 지내면 안될까? 누군가가 먼저 사과하자고 손을 내밀면 뿌리치지 말고 한 번은 잡아줘. 그래서 그동안 쌓이고 쌓였던 오해들을 풀고 다시 친해졌으면 해. 다시 정다운 사이가 됐으면 좋겠어. 싸움을 생각해 보면 보석함에서 바로 꺼낸 목걸이 같아. 맨날 뒤엉켜 있어서 어떤 모양인지 알아볼 수도 없지만 그걸 차분히 하나하나 풀면 정말 반짝반짝 빛나는 예쁜 목걸이가 되니까. 이모와 엄마도 그랬으면 좋겠어. 내가 무슨 말을 하는 건지 잘 모를 수도 있고 왜 이 꼬맹이가 우리 싸움에 끼어드나 생각이 들 수도 있어. 하지만 이제 나도 열 다섯살이고 충분히 이모에게 한번쯤은 얘기해보고 내 생각을 전할 수도 있다고 생각해. 이모와 엄마가 화해해서 다시 예전으로 돌아갔으면 좋겠어. 이모가 용기내서 한 번 얘기해 봤으면 해.  나도 많이 생각하고 고민하다 얘기하는 거야. 이모는 할 수 있어. 내가 응원할게. 우리 언젠가는 다시 가족 완전체로 만날 수 있는 거지? 그러면 미국 잘 갔다 오고, 내가 틈틈이 연락할게. 그때마다 반갑게 인사해줘.

## 4. 어느날 갑자기 동생이 생겼다

'하나님, 제발 동생 갖게 해주세요. 말 잘 듣고 예쁜 여동생 생기게 해주세요. 1년 후에 동생이 생기게 해주세요. 아멘.'

그랬는데 진짜 동생이 생겼다.


### <동생이 생기길 바랬던 내 진짜 마음>

초등학교 5학년 때까지 외동이었던 나는 6년동안 동생이 생기게 해달라고 기도한 이유가 있다. 어렸을 때부터 부모님의 잦은 싸움 때문에 동생이 생기면 덜 무서울 것 같았다. 엄마, 아빠의 싸움의 이유를 들어보면 사소한 것 뿐이었다. 엄마, 아빠가 싸운다며 할머니에게 하소연을 하면, 부부는 원래 사소한 것들로 많이 싸운다고 했다. 이해가 가지 않았다. 서로 사랑해서 결혼했는데 왜 싸우는건지. 엄마, 아빠가 싸우면 '이혼'이라는 단어가 나왔다.

'엄마, 아빠가 이혼하면 어떡하지? 엄마랑 살아야 하나? 아빠랑 살아야 하나?'

엄마,아빠랑 떨어져 사는 것은 상상도 하지 못했다. 그냥 내 자신이 누구와 살아야 하나를 생각하고 있는 것 자체가 서럽고 속상했다. 아빠는 항상 그 싸움 속에서 혼자 울고 있는 나를 진정시켜 주었다. 차분히 가라앉은 목소리로 "많이 놀랐지? 괜찮아, 그냥 엄마, 아빠가 잠시 화가나서 그런 것뿐이야.걱정하지 않아도 돼."

아빠의 그 말이 생생하게 기억난다. 쿵쾅거리던 심장소리가 아빠의 말 한마디에 괜찮아졌다.

<추측>

초등학교 5학년 때였다. 학교 끝나고 친구들과 오른손엔 슬러시, 왼쪽에는 떡꼬치를 들고 장난치며 태권도로 달려갔다. 웃으며 반겨주는 엄마를 껴안으려고 했는데 엄마가 내 포옹을 피하는 것이었다. 당황스러웠다. 그 순간, 엄마가 동생을 가졌나? 생각했다. 확인해 보고싶어서 앉아있는 엄마에게 달려갔다. 옆에 있던 고모가 나를 막으며 말했다. "안돼, 엄마 배." 그 때 어느정도 직감했다. 가족들이 무언가를 숨기고 있다는 것을. 아빠가 "이따가 할머니네서 파티 할 거야." 라고 말하는 순간, 동생이 생긴 것 같다는 확신이 들었다. 가족들이 할머니 집에 모였다. 밥을 다 먹었을 때쯤 아빠가 케이크를 가져왔다. 여태껏 웃음을 참고 있었던 것처럼 모두 웃기 시작했다. "축하해!" "이제 외동 탈출이네!" 축하 대상은 다름 아닌 나였다. 엄마가 동생을 가진 것 같고, 그래서 이 자리에 모인 걸 어느정도 짐작하고 있었다. 하지만 당황스럽고 상황 파악이 잘 되지 않았다. 처음 느껴보는 감정이었다. 아빠가 웃으며 말했다.

"동생 생겼어!"

순간, 눈물이 터져 나왔다. 그 감정이 어떤 감정인지 잘 몰랐다. "그냥 기뻐서." 라고 대답했다. 다들 그제서야 얼굴이 풀렸고 엄마는 날 보며 울음을 터뜨렸다. 그날 이후로 엄마의 배는 조금씩 커졌다. 엄마가 임신하니까 좋은 점이 있었다. 성격이 온순해졌다고 해야 할까? 그래서 엄마가 임신했을 때가 좋았다.


<동생>

열달 후, 동생은 세상 밖으로 나왔다. 남자 아이였다. 내가 바랬던 여자 동생은 아니었지만 귀여웠다. 하지만 동생이 태어나면 매일이 행복할 것

만 같았던 상상은 유리창이 깨지듯 깨졌다. 아기는 시도때도 없이 울어 대고 엄마는 예민해졌다. 분유라곤 한번도 타본 적 없는 나에게 분유 물 온도를 못맞춘다고 다그쳤다. 임신한 동안의 착함은 어디로 사라진 걸까? 엄마의 마음을 이해하기 어려웠다. 그때는 그냥 꾹 참고 혼자 아무도 듣지 못하게 숨죽여 울었다. 동생이 100일, 200일, 돌이 지나면서 거리감이 더 생겼다. 4살이 되니 떼쓰는 것이 심해졌다. 하루하루 전쟁을 치르고 있는 기분이었다.


## <두번째 동생>

할머니가 오랜만에 우리집에 놀러 오셨다. 엄마와 할머니와 이야기를 하던 중 이상한 질문을 했다.

"만약 동생이 또 생기면 어떨 것 같아?" 상상도 하기 싫었다.

"할머니네로 이사 갈 거야." 엄마와 할머니의 표정이 심각해졌다.

'장난으로 하는 얘기 아니었나? 왜 이렇게 심각하지?'

"엄마 애기 가졌어?"

엄마는 대답을 하지 않았다. 대답은 할머니가 대신해줬다.

"맞아, 엄마 애기 가졌어."

믿기지 않았다. 이 모든 상황이. 왜 속상한지도 모르고 그냥 울기만 했다. 누군가에게 말해야 풀릴 것 같아서 그날 저녁 영어학원 선생님에게 얘기를 털어놓았다. 어떻게 해야 할지도 모르겠고 내가 왜 이런 생각을 하고 있어야 하는지 이 상황 자체가 싫었다. 하굣길에 친구한테 이야기를 했다. 엄마가 애기를 지웠으면 좋겠다고.

친구는 "엄마한테 신중히 얘기해 봐." 라고 했다.

용기를 내서 엄마에게 말 하려고 했다. 하지만 도저히 입이 떨어지지 않았다. 행복해 보이는 엄마의 얼굴을 보니 더더욱 말을 할 수가 없었다. 소

125

중한 생명이 우리에게 찾아왔는데, 생명을 잘 지키고 감사하지 못할 망정, 정말 못된 누나와 가족이었다. 순간 눈물이 왈칵 쏟아졌다. 엄마, 아빠는 동생이 생겨서 우는 거라 생각했을 것이다.

"엄마, 미안해. 내가 자꾸만 나쁜 생각해서."

엄마는 놀랐는지 울었다. 내가 기특하고 너무 착한 것 같다며 그리고 그 이후로는 다신 그 일에 대해 얘기하지 않았다. 10개월 후, 나에겐 두번째 동생이 생겼다.


## <편애>

둘째 동생은 얌전하고 잘생겼다. 아니, 예뻤다. 남자아이라고 믿기지 않을 정도로. 머리카락 색깔은 노란색. 큰 눈에 쌍커풀도 있었다. 아빠의 어릴 적 사진을 보면 머리가 노랗다. 길에 지나가는 사람들이 "여자아이에요?" 라고 묻곤 했다. 둘째 동생이 태어나면 난장판일 거라고 생각했는데 그렇지 않았다. 엄마 말로는 두번째 동생이 하는 행동들과 식성이 나와 비슷하다고 했다. 그래서일까? 둘째 동생을 더 에뻐했다. 솔직히 내가 편애한다는 생각이 들진 않는데 엄마가 왜 둘째 동생만 예뻐하냐고 했다. 내가 생각해도 좀 그런 것 같긴 하다. 하지만 내 눈엔 둘째 동생이 더 예뻐 보였다. 찡찡대고 우는 첫째 동생보다 존재만으로도 귀여운 둘째 동생이 더 예뻤다. 나도 노력은 한다. 하지만 잘 고쳐지지 않는다. 동생이 두명이나 생길 거라고 생각하지 못했다. 나도 나를 이해하기 어려운데 자꾸만 동생을 이해하라고 하니까 짜증이 난다. 누군가에게 사랑을 준다는 건 참 어려운 일 같다. 그것도 똑같이 나눠서 주는 것. 하나도 벅찬데 둘씩이나? 그것도 남동생한테? 사랑을 받아만 봤지 이렇게 갑자기 동생들한테 사랑을 주라니 참 힘든 일이다. 엄마, 아빠도 얼마나 힘들까? 싶다. 그냥 엄마, 아빠니까 당연히 해야 하는 일이라고만 생각했다. 동생들이

126

조금씩 크니까 알 수 있을 것 같다. 엄마,아빠도 많이 힘들겠구나.


## <첫째 동생의 공격>

첫째 동생은 둘째 동생과 점점 더 많이 싸웠다. 첫째 동생은 덩치가 크고 둘째 동생은 덩치가 작다. 첫째 동생이 한 번 밀면 둘째 동생은 멀리 밀려난다. 둘째 동생은 울음이 터지고 첫째 동생은 엄마, 아빠에게 혼난다. 이런 일들이 하루에도 수십 번씩 생긴다. 엄마는 이 두 형제를 보면서 언제쯤 클까? 하는 생각만 한다. 그런 마음을 이해할 수 있다. 둘을 말리려면 인내심이 있어야 한다. 첫째 동생은 둘째 동생이 주변에 오기만 해도 밀어냈다. 뭐만 하면 저리 가라고 소리지르고 둘째 동생은 그걸 또 배워서 첫째 동생한테 똑같이 했다. 첫째 동생과 둘째 동생의 싸움은 그치질 않을 것 같다.


## <둘째 동생의 반격>

둘째 동생이 순하고 착한 아이라고 생각했는데, 어른들 말이 맞는 것 같다. 애기들은 커봐야 아는 것 같다. 커가면서 성격도 강하고 자기주장이 확실해졌다. 가끔은 17개월이 맞나, 싶을 때도 있다. 말로 표현을 할 수 없으면 표정으로 이야기한다. 싫으면 인상을 쓰면서 눈으로 화를 낸다. 가끔은 둘째 동생이 눈으로 화를 내면 무섭다. 좋고 싫음이 확실하다. 그리고 복수도 할 줄 안다. 화나는 일이 있으면 귀엽고 깜찍한 방법으로 복수를 하곤 한다. 예를 들면 눈을 마주치지 않는다. 아직까지는 그런 둘째 동생이 마냥 귀엽다.

## <미운 동생들>

동생들이 생기기 전까진 몰랐다. 이렇게까지 동생을 미워하게 될 줄은. 동생들이 생기면 마냥 좋을 줄 알았다. 하지만 생각이 좀 바뀌었다. 하고 싶은 것들도 할 수 없고, 엄마와 즐기던 데이트도 못하게 되었다. 무엇보다도 나의 영역을 침범하는 게 싫었다. 동생들이 그냥 누워있을 때는 귀엽기만 했는데 걷기도 하고 말도 하니까 나를 한시도 가만히 두지 않았다. 내 물건을 만지는 건 물론, 갖고 싶은 걸 못 가지게 되면 엄마, 아빠한테 이른다. 원하는 게 안되면 무조건 바닥에 누웠다. 그렇다고 바닥에 누워서 우는 건 또 아니다. 가만히 누워있는 것뿐이다. 잠깐 한눈 팔면 사고 치고 있고, 조용하면 사고 치고 있고, 사고뭉치 그 자체였다.


## <밉지만 아픈 건 싫어>

건강한 아이인 줄 알았던 첫째 동생이 갑자기 아팠다. 며칠 전부터 몸에 작은 빨간색 점들이 올라왔다. 코피도 자주 났다. 엄마는 첫째 동생을 병원에 데려갔다. 뜻밖의 안 좋은 결과가 나왔다. 혈소판 감소증. 몸에 있는 혈소판의 수치가 감소되는 증상이다. 혈소판이 감소되면 피가 잘 굳지 않는다. 그래서 코피가 잘 멈추지 않았던 것이다. 귀에 꽂힌 말 한마디는 혈소판 수치가 계속 감소되면 백혈병에 걸릴 수도 있다는 것이다. 그 이야기를 들은 순간, 그동안 첫째 동생에게 못되게 굴었던 게 미안해지기 시작했다. 엄마에게 계속 전화해서 첫째 동생의 안부를 물었다. 집에 혼자 있는데 무섭고 두려웠다. 첫째 동생의 상태는 생각보다 더 안 좋았다. 울면서 계속 기도했다.

'누나가 미워하지 않을 테니까 제발 아프지만 말아줘, 동생아.'

그 날 첫째 동생은 결국 입원했다. 그동안 첫째 동생이 밉기만 했는데,

막상 아프니까 아프지만 않았으면 좋겠다는 마음뿐이었다. 첫째 동생은 밝은 아이였는데 영상통화로 얼굴을 보니 기운이 하나도 없어 보였다. 많이 울어서 얼굴 혈관이 터졌고 붉은색 작은 점들이 얼굴을 뒤덮고 있었다. 더 속상했던 건 "누나 내 얼굴 이상해?" 라고 물어보는 동생의 말 때문이었다. 그 이후로 첫째 동생은 사람들이 얼굴을 쳐다보는게 싫어서 엄마, 아빠 뒤로 숨거나 내 등 뒤에 숨었다. 첫째 동생이 안쓰러웠다. 평소 같았으면 짜증을 실컷 퍼부었을 텐데 짜증이 나지 않았다. 첫째 동생이 일상생활이 가능한 것 만으로도 감사했으니까. 첫째 동생은 한 달에 한 번씩 병원에 가서 혈소판 수치를 늘려주는 주사를 맞아야 했다. 첫째 동생이 병원에 가는 날이면 태권도에 가서 아빠를 도왔다. 아빠와 같이 출근해서 아빠와 같이 퇴근했다. 솔직히 힘들고 짜증도 났지만 참았던 이유는 하나다. 가족이니까. 지금은 첫째 동생이 많이 회복했다. 우리 가족은 이 일을 겪고나서 더욱 단단해졌다. 또 한가지를 배웠다. 힘든 일이 있으면 속상하기도 하지만, 더욱 단단해진다는 것을.


## <미운 것들이 있어서 좋은 점>

동생이 있어서 싫은 점도 있지만 좋은 점도 있다. 기분이 좋지 않은 날, 동생들이 달려와서 얘기한다.

"누나 기분이 안 좋아?"

동생들이 있으면 외롭다는 생각이 사라진다. 외로울 틈도 없다. 어려서 그런지 손도 많이 가고 해줘야 할 것도 많다. 나이 차이가 많이 나다 보니 동생들을 많이 챙겨줘야 하는데, 그러다 보면 하루가 정신없이 지나간다. 동생들이 울어서 시끄럽고 집을 나가고 싶을 때도 있다. 하지만 동생들이 없었다면 얼마나 조용하고 심심했을까? 가족들과 웃으며 행복한 시간을 보낼 때, 그 웃음의 시작점은 항상 동생들이다. 질투할 때도 있고, 속상할 때도 있다. 엄마, 아빠의 사랑은 항상 내가 되고 싶었는데 그러지 못하니까. 한편으로는 첫째 동생과 둘째 동생에게 고맙다. 나를 대신해서 부모님을 행복하게 해주니까. 동생들이 밉고 싫을 때도 있지만 아빠가 해주신 말씀이 있다.

"아무리 싫고 미워도 어쩔 수 없잖아, 우린 가족이니까."

그래, 아빠말이 맞다. 처음에는 아빠의 말이 귀에 들어오지 않았지만 이제는 알 것 같다. 그래, 가족이니까. 아무리 싫고 미워도, 가끔은 짜증이 치밀어 올라도 우린 가족이니까. 소중한 동생들이니까.

# 5. 어느날 갑자기 사고가 났다

## <평범한 어느 날>

 평소와 다를 것 없는 날이었다. 수학학원 끝나고 집으로 가는 길, 인생에서 잊지 못할 일이 일어났다. 아파트 입구 횡단보도지만 신호등이 없는 길이 있다. 그 길을 건너면서, 친구와 연락을 하던 중이었다. 왼쪽에서 오토바이 소리가 났다. 이상한 느낌이 들어 왼쪽을 쳐다봤다. 오토바이가 나를 향해 빠르게 달려오고 있었다. 멈추지 않는 오토바이 때문에 몸이 움직이지 않았다.
 '부딪히면 어떡하지?'
 공포감이 몰려올 때쯤 오토바이는 나를 쳤다.


## <사고>

 순간 몸이 붕 떴다.
 '이대로 죽는 건가?'
 사람들은 말한다. 죽기 직전에 자신이 행복했던 순간이 주마등처럼 지나간다고. 갑자기 엄마, 아빠와 행복했던 순간들이 동화책처럼 한 장씩 넘어갔다. 동생들과 행복했던 시간들, 미안했던 일들이 떠올랐다. 몸이 딱딱한 돌처럼 굳어서 움직일 수가 없었다. 피할 수 있을 줄 알았다. 드라마나 영화에서 주인공이 교통사고가 날 때, 이렇게 생각했다.
 "피해야지, 왜 안 피해?"
 막상 그 대상이 내가 되어보니 공감할 수 있었다. 몸이 잠시 동안 멈춰 있는 느낌, 세상에 나만 빼고 다 멀쩡한 느낌, 내 몸만 움직일 수 없는 느낌이었다. 그렇게 사고가 났고, 나는 8차선 도로까지 날아갔다. 오토바이 아저씨는 배달 콜을 잡느라고 자기가 가야 할 우회전 신호만 보고 나를 전혀 보지 못한 것이다. 하필 그 날 입었던 학교 체육복 색깔이 검정색이어서 더욱 잘 보이지 않았을 것이다. 나에겐 몇시간 같았던 일이 단 1분만에 벌어졌다. 아저씨는 세게 달려오는 바람에 나와 부딪히고 아저씨도 오토바이와 날아갔다. 다른 차들이 달려오면 2차 사고가 날 수 있을 것 같다는 생각에 기어서 인도로 갔다.

아저씨에게 "뭐하시는 거예요?" 분노 섞인 말투로 울며 말했다. 심장이 점점 빨리 뛰는 게 느껴졌다. 사람들이 몰려들었고 계속 눈물이 났다.


### <엄마, 아빠……>

정신을 차리고 곧바로 엄마에게 전화했다. 엄마는 어디냐며 흥분한 목소리로 울면서 안부를 물었다. 엄마는 아빠에게 전화했고 근처에 있던 아빠가 헐레벌떡 뛰어왔다. 아빠가 내 체육대회 때 빼고 그렇게 빨리 달리는 건 처음이라 놀랐다. 아빠는 놀란 표정이었고 눈시울이 약간 붉어져 있었다. 아빠는 놀라기도 했지만 화가 나있는 것 같았다.

"지금 뭐하시는 겁니까? 앞을 잘 보고 오셨어야죠."

아빠는 차분하게 따졌다.

아빠를 보니까 괜히 서럽고 긴장이 풀려서 눈물이 왈칵 쏟아졌다. 곧이어 엄마도 사고현장으로 나왔다.

"어디 아픈 데 없어?"

엄마가 그렇게 아이처럼 우는 모습을 처음 봤다. 엄마는 산발된 머리. 잠옷차림에 슬리퍼를 신고 나왔다. 엄마의 다급함이 온몸에서 표현되었다. 엄마는 나에게 춥지 않냐며 담요를 주었다. 인도 모퉁이에 앉아 있었는데, 다리가 움직이지 않는 것 같았다.

'혹시 내 다리가 다 부러졌나?'

무서웠다. 다리가 아프기도 하고 놀란 탓인지 속도 울렁거렸다.


### <난생 처음 타 본 구급차>

구급차가 도착하고 구급대원들이 다리를 고정시킬 수 있는 물건을 채우고 나를 일으켜 세워 휠체어에 실었다. 난생 처음 구급차에 탔다. 팔목에 뭔가를 채우고 심박수를 계속 체크했다. 여기저기 눌러보면서 상태를 체크했다. 정신이 없었지만 생생하게 기억난다. 드라마에서나 보던 것들이었다. 병원에 도착해서는 엑스레이 실로 이동했다. 구석구석 부러진 곳이 없는지 30분 정도 검사했다. 응급실의 모습은 소란스럽고 복잡했다. 다들 자기 아픈 곳을 봐 달라고 여기저기서 아우성이었다. 의사 선생님이 아빠와 나에게 천천히 설명하면서 알려주셨다. 휠체어에 앉아서 검사 결과를 들었다. 아빠와 나의 표정은 어느때보다 긴장한 표정이었다. 다행이도 부러진 곳은 없다고 하셨다. 아빠와 검사 결과를 듣고 엄마에게도 안부를 전했다. 아스팔트 바닥에서 굴러 다리가 까매졌고 상처가 있었다. 간호사 선생님이 치료를 해 주셨다. 생각한 것 보다 더 많이 아팠다. 알코올 솜으로 상처를 닦아 냈는데 몇 백개의 바늘로 다리를 찌르는 느낌이었다. 아빠는 옆에서 조금만 참으라면서 달래 주었다. 치료까지 끝내고 약도 처방받았다. 입원을 하려고 했는데 이미 입원실이 꽉 차서 안된다고 했다. 사실 입원하고 싶은 마음은 없었다. 기말고사가 한 달도 남지 않았기 때문이다. 다리가 조금 아픈 것 빼곤 괜찮았다. 하지만 사람들이 내일 아침이 되면 엄청 아플 거라면서 차라리 입원하는 게 나을 것 같다고 했다. 다음 날 아침, 몸에 1톤짜리 바위를 올려놓은 기분이었다. 머리부터 발 끝까지 안 아픈 곳이 없었다.

## <입원생활>

그 날 아침, 바로 한방 병원에 입원했다. 처음으로 침도 맞아야 했고 부항도 뜨고 뜸 치료도 받았다. 시간에 맞춰 치료도 해야 했다. 웬만한건 다 참을 수 있는데, 견디기 힘든게 하나 있었다. 입원을 하면 자유로울 줄 알았는데, 늦잠도 자지 못했다. 매일 7시에 "아침 드세요." 몇 시간 안 지나서 "점심 드세요." 그리고 6시에 "저녁 드세요."

그래서 그런지 더 먹기가 싫었다. 입원생활은 생각보다 외로웠다. 밤마다 오토바이 소리만 들리면 눈을 번쩍 떴다. 트라우마가 나를 두렵게 하고 어둠속에서 못 나오게 했다. 혼자 방에 가두고 오토바이 소리를 틀어두고 괴롭히는 것 같았다. 병원에서 일주일간 시간을 보내야했다. 아빠보고 무섭다고 같이 자달라고 했다. 병원에 있는 동안 아빠와 같이 잤다. 아빠 덕분에 무서운 마음은 조금 사그라들었다. 하지만 그 곳에는 아무것도 없고 재미있는 놀거리도 없어서 심심했다. 혼자 있는 시간이 무서워서 결국 눈물을 터뜨리고 말았다. 상가 1층에서 모자를 푹 눌러쓰고 해가 지는 걸 바라보며 엄마, 아빠를 기다렸다. 그날 따라 해가 길게 느껴졌다. 매일 매일 만나는 가족이라서 가족이 얼마나 소중한지 이 때 깨달은 것 같다. 가족이 나에게 얼마나 의지가 되는 존재인지, 중요한 존재인지 말이다.

며칠 지내면서 옆에 할머니와도 친해졌다. 할머니는 손주 자랑을 하시면서 고민상담도 많이 하셨다. 좋아하는 드라마를 볼 시간은 놓쳤지만 할머니와 나눈 이야기가 더 재미있었다. 서로 어떻게 병원에 입원하게 되었는지, 어떻게 다치게 되었는지 말하다 보니 시간이 물 흐르듯 빨리 갔다. 아침, 점심, 하루 두 번 주치의가 어디 아픈지 물어보고 침을 놔주는데 불편하고 아팠다. 특히 부항이 아팠다. 내가 감기에 걸린 것 같으면 코에 침을 놓기도 했다. 무서워서 침이 코에 꽂힌 순간부터 나는 움직일 수 없었다. 의사 선생님은 내가 아픈 곳 들을 하나하나 다 치료해 주셨다. 공부하는 걸 보면 열심히 한다면서 선생님의 어릴 적 이야기를 해주기도 했다. 조금 지루하기도 했지만 침 맞는 10분동안 덜 심심했다.

<따뜻한 사람들>

내가 입원한 병원은 한방 병원이었다. 그래서 대부분의 연령대가 할머니, 할아버지였다. 나 빼고 어린 아이들은 보이지 않았다. 그래서 병원에서 돌아다니면 다들 관심을 주셨다. 왜 다쳤는지, 어디가 아픈지 궁금한 게 많으셨다. 그렇게 얘기를 나누다 보면 맛있는 것도 주셨다. 처음에는 어르신들만 계셔서 심심할 줄 알았는데, 할머니들과 이야기를 나누다 보니 지루하다 라는 생각이 들지 않았다.

내가 병원에 있는 동안 아빠는 일주일 내내 병원에서 주무셨다. 엄마는 어린 동생들 때문에 집에 있어야 해서 카톡으로 내 상태를 계속 확인했다. 병원침대가 많이 딱딱했는데 아빠는 날 위해서 참고 일주일동안 내 곁을 지켜줬다. 아빠는 뭘 해주지 않아도 내 곁에 있어주는 것만으로도 든든했다. 하지만 옆에 할머니가 코를 너무 골았다. 코를 골면 잠을 한숨도 못 자는데, 간호사 선생님께 귀마개 없냐고 물어봤더니 위생 솜을 주셨다. 처음 위생 솜을 받았을 때 '이게 잘 막아질까?' 했다.

하지만 생각한 것보다 소음이 잘 들리지 않았다. 간호사 선생님이 주신 위생솜을 아빠와 같이 귀에 꽂고 편안히 잠을 잘 수 있었다. 하지만 계속 혼자 있으니까 엄마의 품이 너무 그리웠다. 엄마에게 안기면 구름 위에 누운 것 같은 느낌이다. 딱딱한 병원 침대에서 잠들 때마다 엄마 생각이 났다.

## <병문안>

　내가 입원하고 나서 주변 사람들이 병문안을 와 주었다. 연락도 오고 다들 괜찮냐며 걱정해주었다. 입원하는 동안 견딜 수 있었던 건 사람들의 격려와 위로가 아니었을까? 생각이 들기도 한다. 선물을 보내주시는 분들도 많고 트라우마에 시달릴까 봐 기도를 해주시는 분들도 있었다. 감사한 마음 뿐이었다. 누군가가 날 위해서 뭘 해준다는 게 고마운 일이란 걸 깨달았다. 외롭고 나 혼자인 것 같을 때 '나를 이렇게 생각해주고 걱정해주는 사람들이 있구나, 사람은 혼자서는 살 수 없구나, 누군가가 꼭 필요하구나'라고 생각했다.

## <병원밥>

　병원밥은 아침 7시, 점심 12시, 저녁 6시 하루에 세 번 나온다. 네모난 쟁반에 밥, 국, 반찬이 나온다. 병원밥에는 윤기도, 생기도 없다. 병원에 입원해 있는 사람들처럼. 심지어 아침밥 간이 돌쟁이 아기 입맛이었다. 이런 음식만 먹으니 엄마가 해준 밥 한상이 그리웠다. 별 특별한 반찬과 음식이 아니어도 엄마의 정성과 사랑이 담긴 음식을 먹고 싶었다. 그나마 수요일과 금요일은 음식이 맛있었다. 하지만 맛있는 음식이 나와도 거의 남겼다. 혼자 먹으니 어떤 걸 먹어도 맛이 없었다. 집에서 가족들과 도란도란 이야기를 나누며 맛있게 먹었는데 병원에서 밥 먹을 때는 이야기할 말동무도 없어서 외로웠다. 몇 입 안 먹고 밥 뚜껑을 닫았다. 조금만 먹는 나에게 옆에 있던 할머니는 더 먹지 왜 그것만 먹냐고 하셨다.

## <이상한 사람>

　병원에 처음 입원 한 날부터 옆 침대에 있는 아저씨가 거슬렸다. 입원한 날에 친구들이 병문안을 왔다. 친구들은 하루 종일 놀고 먹고 하다가 저녁에 엄마, 아빠가 오셨을 때 갈 준비를 하고 있었다. 머리가 폭탄 맞은 것처럼 커다란 분이 음흉한 눈빛으로 친구들을 쳐다보고 있었다. 입원 첫 날, 혼자 자야 되는데 그 아저씨 때문에 무서웠다. 옆에 있던 엄마도 그 사람을 봤는지 아빠한테 병원에서 같이 자라고 얘기했다. 처음에는 그냥 이상한 사람이라고 생각했는데 생각보다 더 이상했다. 복도에서 마주치면 내 얼굴을 빤히 쳐다봤다. 그래서 그런지 어딜 혼자서는 못갈정도로 두려움이 점점 커져 갔다. 계속 그 사람을 의식하다 보니 잘 때 문 소리만 들려도 눈을 번쩍 떴다. 입원실은 문을 잠그는 장치가 없어서 잠글 수도 없었다. 아빠는 카운터에 있는 간호사 선생님들께 이야기를 드렸다고 한다. 그 이후로는 간호사 선생님들이 내 방을 더 많이 찾아와 주셨고, 꼭 혼자 있을 때는 커튼을 치고 있으라고 말씀해 주셨다. 그 사람은 내가 퇴원하는 날 나보다 먼저 퇴원했다. 오토바이 사고로도 힘들어 죽겠는데 그 사람 때문에 한 시도 마음 놓고 병원에서 있을 수가 없었다. 그래도 입원하는 동안 아무일 없었으니 다행이라고 생각한다.

## <일상의 소중함>

　사고를 당하고 나서부터 사소한 것에도 감사한 마음이 들었다. 일상생활을 할 수 있는 것만으로도 감사한 일이니까. 아마 오토바이 사고가 났을 때 그 자리에 가만히 누워만 있었다면 더 큰 사고가 났을 것이다. 똑바로 정신을 차리고 기어서라도 살아야겠다는 생각 하나만으로 인도까지 갈 수 있었다. 그 때 얼마나 무서웠으면 오토바이 아저씨에게 소리를 질렀을까? 다시 생각하면 그렇게 소리를 지를 수 있을 만큼 힘이 남아있었다는 증거인 것 같아서 다행이라는 생각이 들었다. 내가 직접 전화를 할 수 있어서 얼마나 다행이었는지. 다른 사람이 엄마, 아빠에게 내 상황을 알리는 것보다 내가 직접 엄마, 아빠에게 전달할 수 있는 게 다행이라고 생각했다. 드라마에서만 일어날 법한 일이 내게 닥쳤을 때 처음엔 믿기지 않았다. 꿈 같았다. 오토바이가 몸을 친 순간 몸이 날아가는 그 느낌을 잊을 수가 없다. 사고가 난 뒤, 한달 후까지도 오토바이 소리만 들으면 기겁했고, 눈물이 났고, 다시 오토바이가 날 칠 것만 같았다. 학원을 가는 길에도 깜박이 없이 달려오는 오토바이들 때문에 제대로 걸어다닐 수가 없었다. 매일이 지겨웠던 내 생활이 오토바이 사고를 통해 소중하다는 걸 깨달았다. 지겨워도 싫어도 살아있다는 것만으로도 감사한 일이니까. 전에는 몰랐다. 그냥 당연한 일이라고만 생각했다. 하지만 사고가 나고 나서는 생각이 바뀌었다. 모든 일에 감사한 마음이 생겼다.

## 6. 피아노 치는 여자, 태권도 하는 남자

### <피아노 학원 옆 태권도 학원>

여자는 피아노를 전공했고, 남자는 태권도를 전공했다. 여자는 피아노 학원에서 선생님으로 일하고, 남자는 태권도 사범으로 일했다. 피아노 학원 옆에는 태권도 학원이 있었다. 남자는 아이들에게 기본동작 자세와 품새를 가르쳤다. 여자는 피아노 학원에서 바이엘과 체르니를 가르쳤다.

### <첫 만남>

태권도 차로 아이들을 데리러 가야 되는데 여자 차 때문에 나가지 못했다. 남자는 여자에게 차를 빼달라고 전화했다. 여자는 내려와서 차를 빼줬다. 그때가 여자와 남자의 첫 만남이었다. 며칠 뒤, 남자는 여자에게 호감을 표현하기 시작했다. 그 중 여자, 남자의 다리가 되어준 아이가 있었다. 4학년짜리 지환이라는 남자아이가 남자, 여자의 다리가 되어줬다. 지환이는 태권도 다니고, 피아노도 다녔다. 남자는 지환이에게 여자에게 이 쪽지를 전해달라며 손에 쪽지를 쥐어주었다. 지환이는 여자에게 쪽지를 줬다. 여자는 다시 지환이에게 답변을 쓴 쪽지를 남자에게 전해주라며 손에 쪽지를 쥐어줬다.

'혹시 내일 시간 되세요?'

'오늘은 안 되고 내일은 돼요.'

'내일 지하철 역 앞에서 5시까지 어때요?'

'좋아요.'

다음날 아침, 여자는 아이보리색 원피스와 백을 매고 설레는 마음으로 하루를 시작했다. 여자는 약속 시간 전에 예식장 피아노 반주 알바가 있

139

었다. 여자는 알바를 마치고 1층으로 내려갔다. 그런데 소나기가 갑자기 쏟아졌다.

"아……어떡하지? 오늘 차도 안가지고 왔는데."

여자는 하필 오늘 차도 가지고 오지 않아서 그대로 비를 맞아야 했다. 피아노 악보가 든 종이 쇼핑백은 거센 비에 다 젖어서 찢어졌다. 예쁘게 차려 입은 여자의 아이보리색 원피스도 젖었다. 겨우겨우 부평 지하철 역에 도착한 여자는 비를 피해 건물 안으로 들어가 있었다. 여자는 젖은 원피스를 보며 속상해하고 있었다. 남자가 여자의 이름을 부르며 반갑게 손을 흔들었다. 여자는 거의 우는 표정으로 남자를 맞이했다. 남자는 당황한 표정으로 물었다.

"어……? 왜 그러세요? 어디 불편하세요?"

남자는 눈치가 빨랐다.

"오늘 너무 예쁘시네요."

여자는 남자의 배려의 기분이 조금 풀렸다. 그렇게 남자와 여자는 지하철 역 투어를 하며 서로를 알아갔다. 그날 저녁, 고깃집에 갔다. 남자와 여자 둘이서 5인분을 먹었다. 여자와 남자는 보기와 다르게 대식가였다. 여자와 남자는 그 날 저녁에 갈비 5인분을 해치우고 그 날부터 1일이 되었다.


## <연애>

연애가 시작된 지 일주일이 되었다. 여자와 남자는 매일 퇴근하고 맛있는 야식을 먹으러 갔다. 월요일은 여자가 좋아하는 분식을 먹으러 갔다. 그리고 화요일은 남자가 좋아하는 고기를 먹으러 갔다. 여자는 고기를 좋아하지 않았지만 남자와 데이트를 하면서 고기를 좋아하는 육식파가 되었다. 남자는 일평생 밥심으로 살았는데 여자를 만나며 밀가루 음식을 먹게 되고 식성도 조금 바뀌었다. 남자와 여자는 점점 서로의 식성을 닮아가고 있었다. 그러면서 서로의 마음도 더더욱 깊어져 갔다. 그들의 데이트는 다양안 일들이 가득했다. 남자는 자동차가 있음에도 불구하고 오토바이를 많이 타고 다녔다. 여자와도 오토바이 데이트를 즐겼다. 그러던 어느 날, 여자의 친구와 술을 먹고 셋이서 다같이 오토바이를 탔다. 너무 무거운 탓인지 잘 나가던 오토바이는 점점 느려졌다. 갑자기 펑 소리가 났다. 남자는 잠시 오토바이를 세웠다. 뒤에 가서 오토바이 바퀴를 자세히 봤다. 알고 보니 오토바이의 뒷 바퀴가 터졌던 것이었다. 오토바이의 바퀴는 점점 더 땅으로 꺼졌다. 그렇게 셋은 집까지 오토바이를 끌고 갔다. 남자와 여자는 다시는 잊지 못할 추억을 만들었다. 다음날 남자의 오토바이는 아버지 트럭에 실려 이송됐다. 그 날 셋은 재미있다고 깔깔대며 집까지 오토바이를 끌고 왔다. 남자와 여자는 사귄지 2개월쯤 되었다. 여자는 남자의 문제점을 한 가지 발견했다. 남자는 흡연자였던 것이다. 여자는 남자에게 단도직입적으로 말했다.

"담배를 끊지 않으면 더 이상 사귀고 싶지 않습니다."

하지만 남자는 일주일 만에 담배를 끊었다. 여자는 남자의 그런 모습에 마음이 더 갔다. 남자와 여자는 서로를 사랑하게 되었다. 다른 연인들처럼 알콩달콩 놀러도 다녔다. 여자와 남자는 영화관에 가서 영화를 보았다. 남자는 감동적인 영화를 보는 내내 울었다. 남자는 생긴 것과 달리 감수성이 풍부했다. 여자는 생각했다.

'와…… 저 남자는 대체 어떻게 태권도 사범이 됐지?'

갈수록 의문이 들었다.

'음악 하는 나도 저런 감수성은 없는데 저 남자는 대체 뭐야?'

하지만 여자는 오히려 그렇게 반전 있는 모습의 남자가 좋았다. 반면 남자는 집에 와서 후회를 하고 있었다.

'내가 왜 그랬지, 왜 울었을까?'

남자와 여자는 서로 몰랐던 부분을 알아가고 있었다. 아직은 서로 비밀도 많고 서로에게 잘 보이려고 하는 모습들이 많이 보였다. 이런 점들이 어느 때는 서로를 불편하게 하기도 했다.

## <놀이공원>

　남자와 여자는 놀이공원으로 데이트를 갔다. 남자와 여자는 기념품 가게에서 머리띠를 골랐다. 남자와 여자는 수많은 머리띠 중에서 어떤 걸 고를지 여러 개를 써봤다. 남자는 여자에게 씌워주고 여자는 남자에게 씌워줬다. 여자는 남자에게 호랑이 머리띠를 골라주었고, 남자는 여자에게 고양이 머리띠를 골라주었다. 머리띠를 쓰고 거울 앞에서 사진을 찍었다. 놀이공원에서 제일 높이 위치하고 있는 자이로 드롭을 타러 줄을 섰다. 사실 남자는 놀이기구를 잘 타지 못했다. 특히 높이 있는 놀이기구. 남자는 고소공포증이 있었다. 반면 여자는 놀이기구를 잘 탔다. 놀이기구를 탈 생각에 얼굴에 미소가 가득한 여자를 보며 남자는 눈 한번 딱 감고 타기로 했다. 한 시간이 넘는 대기시간 동안 서로 이야기하고 사진 찍어 주다 보니 시간이 훌쩍 갔다. 남자는 놀이기구가 가까워질 때마다 심장이 밖으로 튀어나올 것 같았다. 드디어 남자와 여자가 탈 차례가 되었다. 남자는 마음을 가다듬고 심호흡을 했다. 놀이기구가 올라갈 때마다 남자의 어깨도 같이 올라가고 있었다. 한편 여자는 신나는 표정으로 남자를 보며 재미있다고 얘기했다. 남자는 애써 웃으며 마지막 자존심을 지켜냈다. 놀이기구는 거의 정점에 올라갔다. 남자는 그런 줄도 모르고 여자와 이야기를 나누고 있었다. 여자는 놀이기구가 이미 정점에 도착했다는 걸 알았다. 여자는 눈을 질끈 감았다. 하지만 남자는 눈치채지 못했다. 바로 그 순간 놀이기구는 하늘 꼭대기에서 바닥까지 제일 빠른 속도로 내려왔다.

## <남자의 마지막 자존심>

 남자의 심장도 같이 내려왔다. 처음에 여자는 남자가 장난치는 건 줄 알았다. 하지만 남자를 깨워도 일어나지 않자 여자는 실제 상황이란 걸 눈치챘다. 직원들도 남자에게 달려와 남자의 어깨를 흔들며 말했다.

 "일어나세요."

 남자를 흔들어도 일어나지 않자 직원들은 119에 신고를 하려고 했다. 하지만 직원들이 신고를 하려는 순간, 남자는 일어났다. 주변 사람들도 웅성웅성 다 모였다. 남자는 비몽사몽 했지만 대충 어떤 상황이 일어났는지 알 것 같았다. 남자는 여자의 손을 잡고 사람들이 없는 쪽으로 갔다. 그 순간은 아무 소리도 들리지 않았다. 직원들이 괜찮냐고 물어보았지만 남자는 대충 대답하고 빨리 그 곳을 벗어났다. 여자는 남자에게 괜찮냐고 반복하며 물어봤다. 남자는 괜찮으니까 그만 물어봐도 된다고 이야기했다. 하지만 여자는 왜 화를 내냐고 이야기했다. 남자는 멋있게 타고 싶었는데 기절까지 한게 너무 창피해서 그렇다고 사실대로 이야기했다. 여자는 남자에게 그게 뭐가 창피하냐고 괜찮다고 얘기했다. 남자는 그런 여자가 너무 고마웠다. 남자와 여자는 츄러스도 먹고, 솜사탕도 먹고, 소떡소떡도 먹었다. 그렇게 남자와 여자에겐 다시는 잊지 못할 추억이 또 하나 생겼다.


## <프로포즈>

 남자와 여자는 풀빌라가 있는 숙소로 여행을 갔다. 여자와 남자는 오랫동안 차를 타서 힘들었다. 숙소에 도착한 여자는 깜짝 놀랐다. 남자가 프로포즈를 준비했기 때문이다. 남자는 숙소를 예약할 때 이미 모든 것을 준비했다. 숙소 사장님께 프로포즈 장소처럼 꾸며 달라고 부탁했다. 불을 끄면 예쁘게 빛나는 조명과, 풍선에는 여자의 이니셜이 있었다. 남자는 무릎을 꿇고 반지를 내밀었다. 여자는 프로포즈를 받을 줄 몰랐기에 깜짝 놀랐다. 여자는 기다렸다는 듯이 대답했다. 남자는 웃으며 여자의 왼쪽 손 네번째 손가락에 반지를 끼워줬다. 남자는 여자가 가장 좋아하는 수국 꽃다발을 내밀었다.

## <결혼식>

남자와 여자는 결혼식을 올렸다. 어떤 사람과 연애를 하고 결혼을 할까? 생각하고 또 생각해왔다. 마침내 서로 맞는 짝을 찾아 결혼식을 한다는 게, 처음에는 실감이 나지 않았다. 새하얀 드레스를 입고, 구두를 신고, 왕관을 쓰고, 신부 화장을 하고, 오늘만큼은 여자가 세상에서 가장 예뻐 보였다. 사람들이 신부 대기실로 와서 하나 둘씩 사진을 찍고 나갔다. 시간이 갈때마다 남자와 여자의 긴장감은 몰려왔다. 긴장을 하는 것은 여자 뿐만 아니라 남자도 똑같이 하고 있었다. 사람들에게 인사를 할 때도 식은땀이 줄줄 났다. 남자도 오늘만큼은 여자의 남자친구가 아닌 신랑이라서 더 떨렸다. 남자와 여자는 차례로 식장에 들어갔다. 식장 문을 열고 들어가는 밝은 빛이 여자와 남자를 반겨주었다. 남자와 여자의 미래를 밝게 비춰주는 것처럼. 신부가 들어오는 순간, 사람들의 환호소리, 그리고 음악소리, 꽃가루가 날렸다.

## <신혼여행>

8개월의 연애 끝에 여자와 남자는 결혼했고, 축하를 받으며 결혼식을 마쳤다. 그들은 필리핀으로 신혼여행을 떠났다. 신혼여행 장소에 도착한 두 사람은 피곤함은 찾아볼 수 없을 만큼 놀러 다녔다. 낮에는 바닷가에서 신나게 놀았다. 밤에는 야시장에서 야식도 먹었다. 하지만 즐거움도 잠시, 여행 가이드가 하지 말라고 했던 주의사항 한 가지를 남자가 지키지 않았다. 바로 길거리 음식 함부로 먹지 않기였다. 신나게 놀아 체력을 소진한 남자는 배고픔을 참지 못했다. 길거리에서 파는 통닭 한 마리를 혼자 순식간에 먹어버렸다. 그리고나서 다음 관광지로 이동했다. 그 관광지는 배를 타고 가는 곳이었다. 남자는 출발 전에 배가 살짝 아팠지만 출발 시간이 다 되어서 바로 출발했다. 중간쯤 갔을 때 남자의 배가 심하게 아팠다. 노를 젓는 사람에게 화장실이 급하다고 말했다. 하지만 그곳은 바다 한가운데였다. 남자는 죽을 힘을 다해 참았다. 다행히 배를 타고 가다 보니 작은 섬에 풀숲이 있었다. 남자는 기다렸다는 듯이 바지를 내렸다. 남자는 급한 불을 끄고 다음 행선지로 출발했다. 아마존강처럼 밑에 악어가 있는 곳이었다. 남자는 참지 못하고 물 속으로 뛰어들었다. 남자는 무서웠는지 빨리 급한 일을 해결하고 자신을 올려 달라고 배를 움직이는 사람에게 외쳤다. 남자는 그 이후로도 남은 신혼여행을 화장실 파티로 끝내버렸다. 그렇게 한국으로 돌아와서 병원으로 갔다. 의사는 남자에게 말했다.

"이걸 어떻게 참으셨어요."

남자는 식중독에 걸린 것이었다. 그래서 신혼여행동안 그렇게 위,아래로 쏟았던 것이었다. 다시는 잊지 못할 신혼여행이었다.


<결혼생활>

남자와 여자는 같이 살아보니 맞지 않는 부분이 많았다. 그동안은 서로를 배려하기 바빴는데 같이 살아보니 배려가 조금씩 사라졌다. 성향도 성격도 다른 두 사람은 많이 다투었다. 남자와 여자는 어린 나이에 결혼을

했기에 서툰 점이 많았다. 심지어 라면을 끓일 때 면을 먼저 넣느냐, 스프를 먼저 넣느냐 에도 의견이 갈렸다. 치약을 끝에서 부터 짜는지 중간부터 짜는 지도 달랐다. 밥 먹고 설거지를 바로 하는지, 좀 쉬었다 하는지도 달랐다. 사소한 것까지 서로의 성향이 모두 달랐다. 연애하고 신혼생활을 할 때는 마냥 좋고 좋은 것 밖에 보이지 않았는데, 점점 콩깍지가 벗겨졌다. 연애할 때는 몰랐던 걸 결혼하고 한 공간에 같이 사니까 현실로 보일 수 밖에 없었다. 똥 싸고, 오줌 싸고, 연애할 때는 보이지 않던 부분이 부부가 되니까 보였다. 결혼생활은 마냥 아름답지는 않았다.

## <그리고……>

남자와 여자는 사랑했고, 결혼했고 싸웠고 또 사랑하고 또 싸우기도 했다. 매일매일이 지루했던 두 사람에게 서로를 만나 지금까지 왔고, 앞으로도 이렇게 사랑하고 싸울거지만 두 사람에겐 의지할 수 있는 사람이 있으니까. 정 떨어지는 행동을 해도 보고 싶지 않은 것을 봐도 부부니까. 결혼이 처음이고 남편이 처음이고 아내가 처음이지만 그게 부부였다. 연애할 때는 예쁜 것들만 얘기했는데 이제는 현실 부부가 되었다. 혼자 쓸쓸히 먹던 저녁에서, 마주 보고 먹을 사람이 있다는 것에 대해 감사했다. 허무하게 텔레비전만 보던 시절이 아닌 같이 이야기 할 수 있는 사람이 있다는 것에 대해 감사했다. 아무리 싫고 싸워도 가장 먼저 생각나는 사람이 있다는 것에 대해 감사했다.

## <싸움>

결혼 4년차 정도 되면 사람들은 생각한다. 내가 이 사람과 왜 결혼을 했을까? 후회하고 서로에게 상처주는 말을 한다. 한 번만 이해하고 넘어가면 되는데, 서로를 이기고 싶어서 양보하지 않는다. 그렇게 풀어가지 못하고 화만 내다가 결국 이혼한다. 싸울 때는 상대방의 감정도 생각하지 않고 자신의 감정만 생각하니까. 그 감정을 조금 진정시키면 괜찮아질 텐데. 안타깝다. 처음에는 서로를 좋아하고 사랑해서 많은 사람들 앞에서 검은 머리가 흰머리가 될 때까지 서로 사랑하며 살겠다고 약속했으면서. 그 말을 지키지 못하고 헤어진다는 건 누구에게나 슬픈 일이다.

### <결혼>

나중에 커서 결혼을 하고 싶은 마음이 별로 없다. 왜냐하면 결혼을 한다는 건 정말 신중한 일이니까. 엄마, 아빠를 보고 결혼을 하지 않겠다고 생각한 건 아니다. 반쪽을 찾는 건 어려운 일이니까, 찾다가 지치면 싱글로 사는 것도 나쁘지 않은 것 같다는 생각이다. 혼자서 늙어가는 것도 나쁘지 않다고 생각했다. 하지만 이 글을 쓰며 생각이 조금 바뀌었다. 이 남자와 이 여자가 사랑하지 않았다면 난 이 세상에 존재하지 않을 테니까. 사랑해요 엄마, 아빠.

부메랑

이은별

　우리는 미움 받을 용기가 필요합니다. 틈만 나면 자리에 없는 사람의 얘기를 꺼내는 요즘, 그것에 휩쓸리는 사람들이 대부분입니다. 하지만 더 친밀한 사이가 되지 못한다고 해도, 아무리 불만인 사람이 있다고 해도 끊어내야 합니다. 내가 했던 모든 것은 언젠가 그대로 돌려받게 됩니다. 좋은 것이든, 나쁜 것이든.
　이번 글을 쓰면서 윤이와 함께 많은 것을 깨닫고 성장했다고 생각합니다. 이 글을 읽는 시간이 윤이와 함께 성장하는 시간이 되길 바랍니다.

## 1. 스물 하나 그리고 열 일곱

꽤 오랜 시간 턱을 받쳐내고 있던 손목이 뻐근해진다. 그제서야 손목을 이리저리 돌리며 노트북에서 시선을 거뒀다.

"내가 다 들었다니까. 우리 과 이제 다 알아. 걔 그런 앤 거."

"걔가 이다연이었어? 나 걔랑 같은 수업 들었었는데."

옆에서 찝찝한 얘기가 들렸다. 요즘 과에서 과로 돌고 있는 이다연에 대한 얘기인 것 같다. 겉으로는 착한 척하면서 뒷 얘기를 하고 다니는 게 소름끼친다는 애. 적어도 누군가 퍼뜨린 소문에만 의하면 말이다.

"난 고등학교도 같이 나왔어."

"걔 고등학교 땐 어땠어?"

"그냥 뭐…… 지금이랑 다를 거 없었지."

"진짜 싫다. 내 얘기도 하고 다닌 거 아니야?"

"어쨌든. 난 얘가 이럴 줄은 몰랐어.. 좋은 앤 줄 알았는데."

좋은 앤 줄 알았다고 해서 뭐가 달라질까. 뒷담화를 정당화하려는 걸로밖에 들리지 않았다. 난 이런 소름 끼치는 애를 믿다가 뒤통수를 맞은 사람이니까 이런 얘기는 해도 된다고.

이리저리 흩어진 종이들을 한 손으로 쓸어 담았다. 도통 집중할 수가 없

다. 어차피 슬슬 강의실을 나가야 할 시간이다. 파일과 노트북을 가방에
대충 넣고 강의실을 빠져나왔다. 나지막이 들리던 대화 소리도 희미해졌
다. 근처 벤치에 털썩 기대 앉았다. 한숨을 쉬었다. 지겹다. 험담할 무언가
가 없다면 거짓말로라도 찾아내서 물어뜯는 게. 그런 사람은 질색이라고
욕하면서 그런 사람과 똑같은 사람이 되어 간다.

갑자기 우보현에게서 전화가 걸려왔다.

"윤아. 오늘 시간 돼?"

"시간 많지. 너 편할 때 만나자."

"그럼 먼저 어디 가 있을래? 최대한 빨리 갈게."

"사거리 쪽 카페에 있을게. 천천히 와."

카페까지는 5분. 지금 걸어가면 여유있게 도착한다. 전화를 끊고 걸음을
옮겼다.


생각보다 늦나. 커피를 한 모금 마시며 시계를 보는데, 대학생들이 몰려
들어와 옆자리를 차지한다. 저마다 짐을 풀고 음료를 시킨 일행은 이런 저
런 얘기를 주고 받기 시작했다.

"그래서 걔 학교는 왜 안 와? 진짜 휴학한 거야?"

"걔네 부모님 마트 일 하시잖아. 집도 좀…… 가난한 것 같고."

다들 남 얘기를 좋아한다는 것은 알고 있었지만, 그 목소리를 다시 들을
줄은 몰랐다.

"하고 다니는 것만 봐도 그래. 맨날 똑같은 옷. 며칠 전에 마트 일 그만
두셔서 걔도 일 도와야 한대. 그래서 휴학했을걸."

4년 만에 들었는데도 듣는 순간 한 번에 알아들을 수 있는 익숙한 목소리.
최수림이었다.

목소리 하나에 순식간에 17살의 그때로 돌아갔다.

## 2. 전학

"너무 긴장하지 마. 괜찮겠지. 이상한 애 있으면 상대하지 말고."

핸드폰 너머로 우보현의 목소리가 들렸다. 불안해하는 나를 신경 써주는 거겠지. 우보현은 외롭고 불안정했던 내 옆에 남아주었던 유일한 친구다. 그때 못 도와줘서 미안하다고, 이제라도 옆에 있어 주겠다고.

"나 이제 들어가야 해."

"기죽지 말고."

전화가 끊기고 사방이 조용해졌다. 낯선 학교 건물을 올려다 봤다.

자신이 좋아하는 남자애가 나를 좋아해서. 그게 마음에 안 들어서, 나에 대한 소문을 안 좋게 퍼뜨린 친구가 있었다. 친구가 좋아하는 사람한테 들이대서 방해했다고. 그래서 16살의 나는 혼자일 수 밖에 없었다. 그게 전학의 이유였다. 하필 그 애와 같은 고등학교에 같은 반이 배정되었다. 당연히 전학을 선택할 수 밖에 없었다.

잘 적응할 수 있을지 모르겠다. 불안하게 뛰는 심장 소리를 느끼며 학교 교문에 들어섰다.


"왔어? 일찍 왔네. 잠깐만, 네 반 담당이 누구더라……"

교무실에는 정신 없어 보이는 선생님이 있었다. 허둥대며 책상을 헤집어 종이 한 장을 들여다봤다.

"우리 반이었지, 미안해. 정신이 너무 없다. 나랑 같이 들어가면 돼."

교무실 한 편에 있는 소파에 앉았다. 연한 커피 향과 사무적인 냄새는 전 학교와 크게 다르지 않았지만, 익숙한 곳이 아니라는 생각에 어색했다.

"가자. 애들은 다 착하니까 걱정 안 해도 돼."

걷다 보니 교실 앞이었다. 선생님이 교실로 들어가는데도 소란스러움이 가라앉지 않았다. 선생님도 아이들을 진정 시킬 생각이 없어보였다.

"전학생 온다고 말했었지? 소개하고 인사해."

전학생이라는 말에 시선이 집중됐다. 티나지 않게 숨을 들이쉬었다 내쉬었다.

"양명고등학교에서 왔고…… 이름은 이 윤이야."

정적이 느껴졌다. 선생님이 더 말해 보라는 듯한 손짓을 했다.

"어……. 잘 지내보자."

"다들 잘 지내고. 빈 자리는 두 군데니까 앉고 싶은 곳에 앉아."

망설이다 발을 디뎠다. 창가 쪽 자리로 갔다. 속닥대는 소리와 호기심이 담긴 눈빛이 느껴졌다. 시선을 어디에 두어야 할 지 모르겠다. 항상 이랬다. 남들이라면 가볍게 넘기고 대수롭지 않게 생각할 것도 나는 그러질 못했다. 지나치게 걱정했고 지나치게 긴장했다. 작년 이후로 더 심해진 것 같기도 하다.

쉬는 시간을 알리는 종이 쳤다. 다가와 말을 거는 사람은 아무도 없었다. 괜히 민망해 창문 너머를 쳐다봤다. 전 학교와 달리 나무가 얼마 없는 운동장, 교정을 거니는 처음 보는 아이들. 보이는 모든 게 낯설었다. 어색한 기분으로 한참을 창문 밖을 내다 봤다.

# 3. 외딴 섬

"나 그거 오늘 사러 가야 돼."

"같이 가자 그럼."

고개를 더 깊이 파묻었다. 간단한 대화에도 끼지 못하는 모습이 비참하게 느껴졌다.

물론 살갑게 말을 걸어오는 아이들도 분명 있었다.

"윤 맞지? 이름 외자야?"

"우리 학교 둘러봤어? 전 학교보다 나아?"

부담스러웠던 게 아니다. 먼저 다가와준 게 고마웠지만 언제부턴가 사람을 대하기 어려워서 그랬다. 제대로 대답하지 못하고 넘겨버렸다. 그 애들이 어떻게 받아들였는지는 모르겠지만.

쉬는시간 10분은 그럭저럭 넘길 수 있었다. 잠깐 엎드려 있다가, 할 일도 없는 다른 층을 왔다갔다 하다가, 화장실에 들어가 있다가. 그러다가 수업 종이 울리기 까지 1분 정도를 남겨 놓았을 때 아무렇지 않은 척 교실에 들어가곤 했다. 하지만 제일 견디기 어색한 시간은 따로 있었다. 점심 시간. 하나같이 무리지어 밥을 먹는다. 그게 당연하다는 듯이. 외딴 섬처럼 둥둥 떠 있는 기분이다. 밥을 제대로 먹지도 못하고 교실로 돌아왔다. 아직까지 사람을 대하는 게 어렵다.

유독 집을 나서기 싫은 아침이다. 알람이 여러 번 울릴 때까지도 간절한 마음으로 오늘이 주말이길 바랐다. 유난히 천천히 준비해서 집을 나갔다. 따돌림을 당하는 것도, 욕을 먹는 것도 아니지만 당연하게 같이 있을 사람 한 명 없다는 것은 견디기 힘들다. 가까워지는 교실을 보며 한숨을 쉬었다.

"이 윤이었나? 맞지? 넌 왜 맨날 앉아만 있어?"

예쁘게 생긴 여자애가 앞에 와 앉았다. 그러더니 대뜸 말을 걸어왔다.

"근데 왜 여기로 왔어? 여기 별론데. 양명고가 더 좋을걸."

최수림의 첫인상은 딱 그랬다. 관계를 맺는 데에 거리낌이 없는 사람. 곧게 뻗은 머리카락과 시원하게 넘긴 앞머리가 특유의 이미지와 잘 어울리는 듯 했다.

"원래 다니던 애들이랑 조금 틀어져서……."

"미안. 괜히 물어봤다."

"아냐. 지금은 좀 괜찮아."

원래 알던 사이였나 싶을 정도로 자연스러웠다.

간만에 설레는 마음이 들었다. 어쩌면 여기서는, 새로운 친구를 기대해 볼 수 있지 않을까. 평범했던 일상으로 다시 돌아갈 수 있지 않을까.

점심 시간이다. 익숙해질 때도 됐는데, 오히려 더 낯설어지기만 한다. 체념하며 자리에서 일어났을 때였다.

"오늘 맛없어. 대충 먹고 빨리 올라오자."

최수림이 빠르게 옆에 와 섰다. 같이 가는 게 당연하다는 듯이. 낯선 기분이었다. 사람으로 가득한 급식실에서 더 이상 외딴 섬이 아니라는 사실 하나만으로도 마음이 편했다.

그 날 이후로 최수림과는 항상 붙어 다녔다. 혼자 견뎌내던 점심 시간도, 교실을 피해 이리저리 돌아다니곤 하던 쉬는 시간도, 이젠 늘 최수림이 옆에 있다. 그런 최수림을 믿고 의지할 수 밖에 없었다. 학교를 즐거운 마음으로 갈 수 있게 되었고, 혼자였던 시간에서 벗어날 수 있었으니까.

# 4. 이상한 느낌

하품을 하며 공원 벤치에 등을 기댔다. 챙겨온 책은 손에서 놓은 지 오래였다. 최수림도 다르지 않아 보였다.

"어디 가게?"

"카페. 너무 더워."

음료를 주문한 후 자리에 돌아와 앉는데, 핸드폰을 확인한 최수림이 인상을 구겼다.

"얘 또 이러네."

"왜? 뭔데?"

"5반 오윤서 알아? 자꾸 친해지고 싶다잖아."

"그게 왜? 넌 싫어?"

"걔 좀……. 남자 되게 좋아하잖아. 얼굴 믿고 나댄다고 하던데. 걔 때문에 헤어진 애들 많아. 일부러 남자 많은 애들이랑 친해진 다음에 들이댄대. 아무튼 싫어."

문득 의아해졌다. 왠지 모르게 들떠 있는 표정이 눈에 들어왔다. 자리에 없는 사람의 얘기를 하는 게 마음에 걸렸지만, 겨우 어울리게 된 친구에게 밉보이고 싶지 않다는 마음이 컸다.

"그러게. 좀……. 그렇다, 걔."

"그니까. 걔가 그런 애라니까."

그 뒤로도 한참동안 오윤서의 얘기가 이어졌다. 간간이 고개를 끄덕이고 맞장구를 쳐주었다. 쌓인 게 많아 보이니까. 그래, 내 친구잖아. 괜한 애를 안 좋게 얘기할 애는 아닐 거다.

"그리고 나 원래 사람 잘 안 믿어."

최수림이 덤덤하게 말했다. 의외의 말이었다. 먼저 다가오는 데에도 스스럼없고 친구도 많아 보여서 사람을 잘 안 믿는다는 말을 듣게 될 줄은 몰랐다.

"잘 안 믿는다고? 왜?"

"그냥 어렸을 때 엄마랑 아빠랑……."

말을 하다 말고 나를 한 번 쳐다본 최수림은 고개를 저었다.

"아니다. 그냥 별로 안 믿어."

가족과 관련된 얘기인 것 같아 굳이 캐묻지 않고 고개를 끄덕였다. 나와 비슷하다는 느낌이 들었다. 16살 때 이후로 친한 친구든, 누구든 잘 못 믿게 됐으니까. 정을 쉽게 못 준다고 해야 할까. 아직도 관계에 있어 쩔쩔 매곤 하니까.

"나도 그래. 여기 와서도 혼자 다녔잖아. 중학생 때 일 때문에 좀……."

"근데 그거 애들이 알게 됐을 수도 있는데…. 이희원도 옆에서 들었다고 했고, 너 다니던 중학교에서 올라온 애들 꽤 있잖아."

"괜찮아."

정말 괜찮을 것 같았다. 약간 걱정이 되기는 했지만.

어떤 이유인지는 모르겠지만 사람을 잘 안 믿는다는 최수림이 나와 닮았다고, 잠깐 생각했다.


한순간 잠에서 깼다.

'얼마나 잔 거지.'

수업이 시작된 지 20분이 넘게 지나 있었다. 조심스레 교실을 살폈다. 절반 정도의 머리들이 위아래로 움직이며 졸고 있었다. 다시 엎드리려는데, 최수림이 눈에 들어왔다. 앞자리 이희원과 무언가를 주고받고 있는 듯했다.

"진짜 싫어."

멀어서 대화 소리가 드문 드문 끊기긴 했지만 간간이 웃음 소리도 들렸다. 곧 쉬는 시간을 알리는 종이 치고 졸던 애들이 모조리 책상에 엎드렸다. 최수림은 졸리지도 않은지 거울을 들여다 보고 있다.

"머리 이상하지 않아? 비 와서 자꾸 가라앉아."

"딱히⋯⋯."

"그래? 그런가⋯⋯ 아, 맞다. 웃긴 거 보여줄까?"

갑자기 최수림의 눈에 흥미가 돌았다. 거울을 내려놓더니 책상 안에서 무언가를 꺼냈다. 구겨진 종이였다.

"이게 뭔데? 쓰레기 아니야?"

묻는 말에 펴 보라는 눈짓을 한다.

"이게 뭐⋯⋯."

무언가 복잡하게 적혀 있고 일본 풍의 그림도 그려져 있었다. 일본 캐릭터와 애니메이션을 좋아하던 김규원의 노트 일부분인 것 같았다. 무슨 상황인지 몰라 종이를 가만히 들고 있자 최수림이 도로 가져가며 웃었다.

"다시 봐도 웃기네."

"뭐가?"

최수림은 잠시 묘한 표정을 지었다.

"맨날 수업 시간에 저런 거나 그렸다는 거잖아. 뭐였지? 히키코모리? 그거 같아."

징그럽다며 종이를 도로 구겨 툭 던졌다.

'이상해 보인다고 해도 말이 너무 심하잖아. 피해 끼치는 것도 아닌데.. 왜 저번부터 자꾸⋯⋯.'

"아무튼 진짜 싫지 않아? 좀 그래."

퍼뜩 정신이 들었다. 대충 대답하니 흥미를 잃었는지 다시 거울을 들여다봤다.

"앞머리 왜 이러지? 아무리 봐도 이상한데⋯⋯."

혼자 떠드는 최수림을 뒤로 하고 자리에 돌아왔다. 어딘가 찝찝했다. 이유는 모르겠지만. 왠지 모르게 불편하던 마음은 수업에 집중하다 보니 까맣게 사라져 버렸다.

## 5. 알아도 모르는 것

"밥 먹자. 이희원도 같이."

"이희원? 갑자기?"

당황해 놀라며 되물었다.

"희원이는 갑자기 왜?"

"너 오기 전에는 이희원이랑 먹었으니까. 너 왔다고 쟤 버려 그럼?"

최수림 말이 맞다. 최수림은 친구가 나만 있는 게 아니니까. 어색한 대답으로 얼버무리고 최수림을 따라 일어섰다.

"오늘은 빨리 먹고 올라오자."

"너가 제일 늦게 먹잖아."

최수림과 이희원은 서로가 익숙해 보였다.

최수림에게 당연한 건 나 하나가 아니구나. 새삼 깨달았다.

급식실에 들어간 최수림이 어딘가를 빤히 쳐다보며 짜증을 냈다.

"나 자리 어떡해. 나랑 자리 바꿀 사람?"

최수림의 앞자리가 김규원이었다. 일본 애니메이션을 좋아하던. 이희원과 최수림이 김규원을 향해 눈짓하며 속삭였다. 기분이 불편했다. 가만히 앉아 밥을 먹고 있었을 뿐인 김규원을 불편하게 만드는 게 마음에 걸렸다. 평소처럼 말해도 될 것을 굳이 크게 말한다. 김규원 들으라는 듯이. 최수림과 김규원을 번갈아 보았다. 그런 내 뒤에서 이희원은 말리지 않고 거들기만 했다. 불편한 기분으로 자리에 앉으며 김규원을 쳐다봤다.

표정이 안 좋다. 아직 밥도 다 안 먹은 것 같은데. 서둘러 자리에서 일어난다. 김규원이 급식실에서 나가고 나서야 옆자리에 앉는 최수림이었다.

"왜 그런 거야 아까?"

"아까? 뭐?"

"김규원. 들으라고 한 거 맞지?"

대충 고개만 끄덕인다. 이희원은 아직까지도 웃고 있었다. 어영부영 밥을 먹고 먼저 급식실을 나섰다. 계단을 올라가며 생각했다. 왜 이렇게 불편할까. 작은 돌덩이 하나가 들어 앉아 있는 것 같다.

교실에 들어가자마자 무언가 눈에 걸렸다. 교실 뒷 쪽에 놓인 쓰레기통에, 종이가 뭉텅이로 버려져 있다. 아까는 없었던 것 같은데. 종이를 집어 펼쳐 보았다.

익숙한 캐릭터들이 종이 가득 그려져 있다. 급식을 먹기 전에 봤던, 김규원의 그림들이었다. 한숨이 나왔다. 정성들여 그려왔던 것들을 버린 것이다. 그것도 뭉텅이로. 이유는 물어보지 않아도 알 것 같았다. 급식실에서 최수림과 이희원의 말을 들은 거겠지. 종이를 다시 버리고 김규원을 쳐다봤다. 평소와 다르게 어두운 얼굴을 하고 있었다.

아까부터 느껴지던 불편한 기분의 이유를 알 것 같았다. 최수림이 생각보다 좋은 애가 아닌 것 같다는 실망. 옆에서 듣고 있었음에도 선뜻 나서지 못하던 죄책감이다. 그리고 무엇보다, 작년의 나를 보는 것 같은 마음. 그래도 한 마디 정도는 하지 말라고 할 수 있었는데. 나는 아니까. 사소해 보여도 얼마나 힘들고 기분 나쁜 일인지. 겪어 봤는데도 나서지 못한 게 마음에 걸렸다.

하지만 무시하고 털어버렸다. 그 때의 나는 죄책감보다, 겨우 사귀게 된 친구와의 관계가 더 중요하다고 생각했으니까. 어쩌면 김규원과 비슷한 일을 이미 겪었기 때문에 이러는 걸 지도 모른다. 얼마나 힘든지 아니까, 그런 시선과 취급을 받고 싶지 않으면 굳이 나서면 안 된다는 걸 알고 있었던 거다. 나한테는 안 그러니까. 다른 애들도 남 얘기는 다 하니까.

"나도 집 가서 애니나 볼까."

아직도 김규원 얘긴가. 그게 그렇게 재밌는 일인가? 계속 얘기할 정도로?

"그게 그렇게 재밌어?"

덮으려 했던 찝찝함이 자꾸 올라오다 결국 입 밖으로 나왔다.

한순간 짧은 정적이 생겼다.

"아니 뭐…….  딱히 재밌는 건 아니고."

눈빛을 주고 받던 최수림과 이희원은 다시 떠들기 시작했다. 어색하게 웃어 보였다.

괜찮겠지 뭐.

# 6. 비밀

익숙한 번호로 전화가 걸려왔다. 최수림이었다.

"여보세요."

"주말에 뭐해? 할 거 없어서 집에 있지?"

"집에 있기는 한데……."

"놀자. 언제 한 번 가려고 봐둔 곳 있는데 오늘 너랑 가야겠다."

간단하게 만날 장소, 시간을 정했다. 할 것도 없었는데 차라리 잘됐다. 더워진 날씨에 맞게 옷을 골라 입고 집을 나섰다.

"어디 쯤이야?"

"방금 집에서 나왔는데. 넌?"

"좀 늦겠다. 사거리 뒤에 시장 알지? 앞에서 기다려."

사거리 뒤 시장이라면 집에서 꽤 걸어야 하는 곳이다. 일찍 나오길 잘했다고 생각했다.


아직도 출발 안 했으려나. 시장 앞에 도착해 기웃거렸다. 동네에 하나밖에 없는 시장이라 그런지 사람이 많았다. 땀으로 들러붙은 옷을 펄럭이며 시장을 둘러보는데, 유난히 몰려 있는 사람들이 보였다. 귓속말을 하며 어딘가를 기웃거린다.

저긴 왜 저렇게 몰려있지. 한 발짝씩 걸어 들어갔다. 가까워질수록 웅성대는 소리가 크게 들렸다. 누군가 싸우고 있는 것 같았다.

"그 때도 똑같은 말 했잖아. 그런 식으로 살 거면 왜 사는데?"

"내가 하고 싶어서 하냐고. 멈추고 싶다고 몇 번을 말해?"

겨우 인파 속을 뚫고 가니 두 사람이 보였다. 부부로 보이는 남자와 여자였는데 얼핏 들린 대화로 보아 꽤 심각한 상황인 것 같았다. 작은 채소들을 줄지어 팔고 있는 코너였다. 서로를 죽일 듯이 쳐다보고 있었다. 도박이니 뭐니 욕이 섞인 소리가 계속 들리고 사람들은 점점 더 모여들었다.

"너 좋아서 만난 거 아니라니까."

"누군 좋아서 만났어? 그럴 거면 이혼해!"

"아, 진짜 그만 좀 하라고 둘 다. 사람들 다 보는데 쪽팔리다고."

문득 익숙한 목소리가 들렸다.

"아빠 저러는 거 한 두 번이야? 그만 해 진짜 좀!"

짜증스럽게 소리치며 엄마라는 여자의 옷자락을 잡아 당기는 뒷모습이 낯익다. 사람들의 시선에서 벗어나려는 듯 반쯤 돌린 찡그린 얼굴도.

옆에 앉은 최수림을 발견하자마자 발이 멈췄다. 봐선 안 될 걸 봐 버린 느낌에 서둘러 몸을 돌려 왔던 길을 돌아갔다. 시끄러운 소리가 잦아들고 나서야 걸음을 늦췄다. 최수림 부모님인가?

'역시 사람을 잘 안 믿는다고 했던 이유가……'

불규칙적으로 심장이 뛰었다. 도둑질 하다 들킨 사람처럼. 친구의 좋지 않은 가정 상황을 보게 된 건 맘 편한 일은 아니니까. 내가 봤다는 걸 모르게 해야 하나. 저번에도 가족 얘기를 하려다 말았다. 숨기고 싶은 일이라는 뜻일 거다.

"이 윤!"

뒤돌아 어색한 표정을 지었다. 최수림은 어딘가 언짢고 불편한 얼굴이었다.

"너 다 봤어?"

알려지는 게 싫겠지. 당연하다. 나였어도 그랬을 거다. 못 봤다고 잡아떼기도 조심스럽다. 다른 문제도 아니고 가정사다. 가볍게 여길 문제가 아닌 것 같았다.

"걱정 마."

최수림은 이해하겠지 싶었다. 본 건 맞지만 못 본 걸로 하겠다고, 말하고 다니지 않을테니 걱정하지 말라는 의미를. 잠시 나를 빤히 보던 최수림은 결국 표정을 풀었다.

"아까 내가 봐둔 곳 있다 그랬지. 여기서 얼마 안 걸리거든?"

방금 아무 일도 일어나지 않은 것처럼 말했다. 오히려 잘됐다고 생각했다. 아무리 입을 닫는다고 해도, 최수림이 불편해하고 숨기려 들었다면 덩달아 불편해졌을 테니까. 한편으로는 그런 생각도 했다. 가끔 느껴지던 최수림의 묘한 말투가, 습관적인 뒷담화가 가정환경 때문일 수도 있겠다고.

아무렇지 않은 듯 최수림과 나는 시장을 빠져나왔다

# 7. 저울

"이름이 뭐라고? 최수림?"

고개를 끄덕였다. 간만에 가족이 다 모여 먹는 아침, 학교는 어떠냐는 질문에 잠깐 최수림 얘기를 꺼냈더니 흥미가 생긴 건지. 밥을 먹는 동안 최수림에 대한 질문이 쏟아졌다.

"그래도 금방 적응 했나보네. 다행이다. 언제 한 번 데리고 와."

"그래, 데리고 와. 얼굴도 좀 볼 겸."

이젠 아빠까지 거들기 시작했다. 꼭 초대하라는 재촉에 알겠다고 대답했다. 벌써부터 무슨 음식을 할지 고민하는 엄마를 보니 슬슬 걱정됐다. 최수림에게 거슬리는 부분이 한 두가지가 아니었으니까. 최수림의 행동이 엄마 아빠에게 안 좋게 보일 수도 있고, 그러면 엄마 아빠는 또 걱정할지도 모른다. 전학 때문에 늘 걱정하고 계셨으니까. 하지만 최수림 말고는 친한 사람도 없고, 이미 대답을 해 버려서 어쩔 수 없었다. 그냥 못 온다고 거짓말할까. 그렇게 하기엔 새 학교에서도 친구를 못 사귀었다고 걱정할 것 같았다.

그러다 문득 생각이 났다. 얼마 전 알게 된 최수림의 가정사. 화목하지 않은 가정이라는 것을 알게 된 상황에서 우리 집에 초대를 하면, 충분히 자기를 무시한다고 생각할 수 있을 것 같았다. 그렇다고 엄마 아빠한테 사정을 모조리 얘기하기도 조심스럽다.

해결해야 할 숙제가 생긴 기분이다. 어떻게 말을 꺼내야 하지.

간만에 무거운 걸음으로 집을 나섰다.


교실에 들어서자마자 최수림이 다가와 말을 붙였다.

"이연우랑 옆반 여자애 헤어졌대. 근데 그럴 것 같았어. 애초에 별로 잘 어울리지도 않았고."

적당히 맞장구를 쳐주다 조심스레 말을 꺼냈다. 어차피 말해야 하는 거니까.

"최수림, 기분 나쁘라고 말하는 건 아니고……."

"갑자기? 뭐가?"

"엄마 아빠가 너 한 번 초대하고 싶다고 해서."

표정을 살폈다. 멈칫하는 듯했지만 잠깐이었을 뿐, 생각보다 아무렇지 않아 보였다.

"그래? 그럼 한 번 갈게."

나 무시하는 거냐, 내가 거길 가고 싶겠냐, 하는 반응을 걱정했는데 의외였다. 담담한 반응에 이상함을 느낀 것도 잠시, 평소처럼 얘기를 나누었다.


금요일 저녁, 최수림과 함께 집에 가던 길이었다.

"생각보다 떨린다. 근데 너네 집 좋아?"

"그냥 적당해. 빨리 들어와."

현관문을 열었다. 덥다며 뛰어 들어가 신발을 벗은 최수림이 엄마를 보고 멈칫 했다.

"안녕하세요. 저…… 최수림이에요."

"어서 와. 윤이한테 얘기 많이 들었어."

식탁으로 끌어주는 엄마의 손길에 최수림은 말없이 따라 앉았다. 그 모습이 어딘지 모르게 어색했다. 생각해 보면 최수림은 늘 그랬다. 유독 어른들 앞에서는 말수가 없어졌다. 혹시 이런것도 부모님 때문일까?

"수림아, 윤이 학교에서는 어때?"

"그냥……. 잘 지내요."

"수림이는 잘 지내고 있고? 학교 다니는 거 재밌어?"

"네……. 재밌어요."

"다행이다. 서로 친한 친구가 생겨서 보기 좋네."

어색하게 웃었다. 그래, 엄마 아빠도 걱정을 많이 했을 것이다. 어쩌면 나보다 더.

"수림아, 윤이랑은 잘 맞아? 얘가 까탈스러운 면이 있거든."

"잘 맞아요, 잘 맞아. 그리고 안 까탈스러운데."

"3학년 때 기억 안 나?"

잠자코 웃고 있던 아빠가 끼어 들었다. 그런 일도 있었다며 얘기하다 보니 분위기가 시끌벅적해졌다. 따라 웃다가 최수림을 살폈다.

'얘가 이렇게 말이 없는 애가 아닐텐데.'

괜한 죄책감이 생기려 했다. 우리 가족이 화목하다고 자랑하는 건 아니지만, 혹시 자기 집과 우리 집을 비교하고 있을까 봐. 시간이 지날수록 말수가 줄었다.

묵묵히 밥을 먹던 최수림이 겉옷을 들고 일어났다.

"수림이 벌써 가?"

"네. 감사해요. 잘 먹었습니다."

여전히 굳은 표정인 최수림이 고개를 숙여 인사했다. 엄마 아빠는 현관까지 최수림을 배웅해 주었다.

"수림이, 어른들을 어려워하는 것 같더라. 왜 그런지 모르겠네."

식탁 정리하는 엄마를 도우며 생각했다.

'괜찮겠지?'

# 8. 불안

하루종일 핸드폰을 붙잡고 있었더니 눈이 아팠다. 뻐근해진 눈가를 누르다가 문득 손을 멈췄다. 다시 핸드폰을 켜 최수림과의 대화창을 열었다.

- 오늘 괜찮았어?

- 어어 좋았어.

하는 대화를 끝으로 잠잠했다. 금요일 저녁에 최수림을 데려왔던 걸 아직 신경쓰고 있었나보다. 나는 왜 이렇게 최수림 기분이 상했을 걸 신경쓸까? 전학 후에 처음 사귄 친구니까. 제일 친한 친구니까 그런 거겠지.

혼자 다니던 시간 동안 당연하게 옆에 있어 줄 친구가 필요했으니까. 그런 친구를 잃고 싶지 않았나보다. 그러려면 밉보이지 않아야 하니까. 손톱을 물어뜯다가 문자를 보냈다.

- 내일 학교 몇 시에 가게?

평소 핸드폰을 붙잡고 사는 최수림이다. 작게 표시된 1이 금방 사라졌다.

- 20분 쯤?

평소와 똑같아 보였다. 괜한 걱정이었나. 알겠다는 답장을 보낸 후 침대에 드러누웠다. 그래, 괜찮겠지. 한결 편해진 마음으로 잠에 들었다.


하품을 하며 교실 문을 열었다. 간만에 잠을 푹 잤더니 오히려 더 피곤하다. 자리에 앉았다. 최수림은 이희원과 얘기를 하고 있었다. 평소처럼 인사를 건넸다.

"어제 괜찮았어?"

정적이 생긴다. 건넨 말에 대답이 없다.

"아, 어어."

"엄마가 너한테,"

"그래서 너무 고민되는 거야. 난 왼쪽 거 사고 싶은데."

말이 끝나기도 전에 대충 대답한다. 바로 고개를 돌려 이희원과 얘기하기 시작했다. 기분이 묘했다. 내가 뭐 잘못했나. 아니면 들으면 안 되는 얘기였나.

'그냥 내가 예민한 걸 수도…….'

두사람이 나간 자리를 한참동안 바라봤다.


"적당히들 자고 일어나라. 점심시간 됐다."

선생님이 칠판을 세게 두드렸다. 노트를 덮고 하품을 한 번 했다. 벌써 점심 시간이다. 최수림에게 가려는데, 교실을 나란히 나가는 두 사람이 보인다. 최수림과 이희원이다.

원래였으면 빠르게 뛰어가 옆에 섰겠지만, 지금은 아니었다. 뭔가 다르다. 다시 의자에 앉았다. 쫓아갈 용기가 나지 않았다. 최수림이 먼저 말을 건 이후로 항상 밥을 같이 먹었다. 4교시가 끝나면 당연하게 서로를 찾아 급식실로 향했었는데, 머릿속에 걱정들이 뿌옇게 낀다. 뭐지. 왤까. 혼자는 이미 경험해 봤다. 다시 혼자가 되기 싫었다.

책상에 엎드렸다 일어났다를 반복하는데 발소리가 들렸다. 속닥대는 목소리가 익숙하다. 얼마 뒤 최수림이 교실에 들어오자마자 자리에서 일어났다. 지금 얘기해 봐야한다. 확실하게 물어보자. 용기는 잘 나지 않지만, 오해가 있는 거라면 풀어야 하니까. 최수림을 복도로 데리고 나왔다.

뭐부터 물어봐야하지. 금요일 때 안 괜찮았던 거냐고? 아까 내 말을 일부러 안 들은 게 맞냐고? 그것도 아니면, 왜 나를 피하냐고? 여러 문장들이 뒤엉켜 엉망진창이 됐다.

"왜, 뭐 말하려고?"

"나, 너한테 뭐 잘못한 거 있어?"

있다고 하면 어떡하지. 왜 이렇게 불안하고 초조한지는 모르겠지만, 불안하다. 최수림이 고개를 갸웃거렸다.

170

"왜 그렇게 생각하는데?"

왜 그렇게 생각하냐니. 오늘 아침에도, 점심에도……. 많은 말들이 목까지 차올랐지만 차마 입 밖으로 꺼내지는 못했다. 밉보이지 않아야 하니까.

"아까 점심 때도 그렇고, 그냥……. 그때 안 괜찮았나 해서,"

"그 때? 그때가 언젠데?"

말문이 막힌다. 얘가 진짜 신경 안 썼던가? 그냥 내가 예민했던 건가 하는 생각도 들었다. 꺼내려던 말이 도로 들어갔다. 말 꺼냈다가 괜히 한 소리 들으면, 모르는 척 해준다면서 그걸 아직까지 신경쓰고 있냐고 하면? 결국 말을 삼켰다.

"아무것도 아니야. 아니면 됐어."

대화를 피했다. 더 안 좋아질 상황이 불안해서. 잠깐 정적이 이어지다 웃는 소리가 들렸다.

"내가 왜 피해."

"그럼 아깐 왜……."

"아까? 점심 때? 그건 그냥 얘기하다가 같이 갔던 거지."

그다지 믿기지는 않았지만 입을 다물었다. 이제 가도 되냐고 묻길래 고개를 끄덕였다. 이 정도면 잘 끝난 거겠지. 근데 왜 이렇게 답답하지. 뒤엉킨 뭔가가 안 풀린 것처럼…….

또 시작이다. 지나치게 걱정한다. 연기처럼 번지는 찝찝한 기분을 애써 무시했다. 사서 걱정하지 말자고.

# 9. 검은 연기

 이상하다. 오늘따라 학교 가는 길이 평소와 다르다.

 핸드폰 하나를 꺼내는 데에도 시선이 따라붙는다. 한 걸음 디딜 때마다 수군댄다. 대놓고 큰 소리로 떠든다거나 하는 사람은 없었지만 감으로 느낄 수 있었다. 수군거림의 원인이 나라는 것을. 기분탓으로 넘길 수가 없었다.

 처음엔 단순하게 생각했다. 내가 뭘 이상하게 하고 나왔나. 그러다 그런 이유가 아니라는 것을 느꼈다. 시선에서 느껴지는 건 명백한 조롱이었다. 잘못한 게 없는데도 나도 모르게 시선을 피했다. 교실에 도착할 때까지 바닥만 보고 걸었다. 불안한 기분이 몰려온다. 뭐가 어떻게 된 건지, 다 나를 보고 수군거리는 게 맞는지 붙잡고 물어볼 사람도 없다. 걸음을 빨리 했다. 교실 앞에서 크게 숨을 들이쉬었다.

 들이쉬었던 숨을 내뱉은 후에야 문을 열었다. 최수림은 가만히 앉아서 거울을 들여다 보고 있었다.

 "오는 길에 애들이 자꾸 쳐다보는데……. 왜 이러지?"

 거울을 얼굴 쪽으로 끌어당겨 살피던 최수림이 물었다.

 "오늘? 갑자기?"

 "착각일 수도 있긴 한데……."

 "그냥 착각 아니야? 난 별로……. 모르겠는데."

 최수림의 말을 가만히 듣다가 교실을 둘러 봤다.

 '그런가. 진짜 내 착각인가?'

 확실히 착각은 아닌 것 같았는데.


 이상한 기분을 털어내느라 애쓰다 보니 시간이 빠르게 지나갔다. 벌써 4교시였다. 늘 그랬듯 최수림에게 가려다 멈칫했다. 급식실에 가는 게 망설여진다. 신경 쓰지 않겠다고는 해도 무의식적으로 신경 쓰고 있었다. 그래도 언제까지 걱정하고 신경 쓰고 있을 순 없다. 최수림은 벌써 뒷문에 기대어 떠들고 있었다. 몰려 있던 무리들이 최수림의 팔을 툭 쳤다. 최수림이 웃으며 밀어내자 그제서야 반으로 돌아갔다. 끼어들 틈을 놓쳐 어정 쩡하게 서 있는데 최수림이 다가왔다.

"배고파. 빨리 가자."

시선을 반쯤 아래로 떨군 채 걸었다. 최수림이 투덜대며 팔을 잡아 끌었다.

"왜 이렇게 빨리 걸어? 누가 쫓아오는 줄 알겠네."

이렇게까지 신경 써야 하나. 은연 중에 누군가 나를 보고 있을 수도 있다는 생각이 들었다. 왜 이러지. 나도 내가 왜 이러나 싶었다. 계단을 내려 가는데, 올라오던 여자애 두 명이 최수림에게 인사를 건넸다.

"수림이 밥 먹으러 가?"

최수림을 보던 한 명이 나를 잠깐 보고 슬쩍 웃었다.

"근데 안 피곤해?"

"피곤하긴 한데……. 뭐 어떡해."

그러냐며 웃는 둘과 최수림 옆에서 어색하게 서 있었다. 무슨 얘길 하는 거지. 몇 번 더 얘기를 주고 받다 두 사람이 교실로 들어갔다. 갑자기 속이 울렁거렸다. 그렇다고 최수림에게 티를 낼 순 없다. 자꾸 작 년이 생각나는 건 왜일까. 그때도 소문이 퍼지기 전에 이런 묘한 상황이 많았기 때문일까.


급식실에서도 불편함은 계속되었다. 빨리 먹고 가자는 말에 최수림은 이해할 수 없다는 표정을 지었다.

"아까부터 왜 그러는데? 먼저 가 있어."

대충 고개를 끄덕이고 서둘러 급식실을 빠져나왔다. 교실로 가는 동안 생각했다. 그러게, 아까부터 왜 이러지. 학교에 올 때도, 교실에 있을 때도, 복도를 지나다닐 때도, 사실은 다 의식하고 있었다.  교실 문 손잡이를 잡았다. 그 때였다.

"그래서 쟤는 최수림이랑만 다니는 거야?"

손이 뚝 멈췄다.

"쟤 왕따 당했다며? 친구한테 들었는데. 그런 일 당한 사람 주변에서 처음 봐."

한 단어가 귀에 꽂혔다. 왕따? 교실 문고리를 더 세게 움켜쥐었다. 저게 다 무슨 소리야. 대체 누가 저걸…….

"전학 왔을 때도 맨날 혼자 다녔잖아."

"그러다가 최수림이 다녀준 건가……."

익숙한 이름이 들렸다. 최수림, 최수림이 같이 다녀준 건 맞지만, 왕따 얘기는 대체 어디서……. 그것보다 누가 이런 얘기를…….

"말 걸면 대답도 안 한대. 나 아는 애가 그렇다더라. 걔도 9반이거든."

"최수림은 뭐 저런 애랑 다닌대. 생각보다는 착한가?"

혼란스럽다. 뭐가 뭔지는 잘 모르겠지만, 이상한 얘기가 퍼진 게 분명해졌다. 비웃는 소리가  들렸다. 바닥이 금방이라도 푹 꺼질것 같다. 문고리 하나에 의지하며 더 꽉 쥐었다.

"왕따였던 데에는 이유가 있겠지. 이유 없이 그럴 리가 없어."

누가 이런 얘기를 퍼뜨려? 머릿속이 물음표로 가득 채워졌다. 16살의 나와 지금의 내가 겹쳐 보인다. 대화 소리가 점점 멀어졌다.

잡고 있던 손잡이를 놓다. 멍한 기분으로 한참을 서 있었다.

# 10. 내 편

손톱을 물어 뜯었다. 무슨 정신으로 교실에 들어왔는지도 모르겠다. 왜 내 얘기를 하고 다니는지, 누가 그런 말을 퍼뜨린 건지 신경 쓸 정신이 없었다. 무서웠다. 무섭고 불안했다. 그때와 똑같은 상황이 반복되는 것 같아서 도망치듯 온 전학인데, 여기서도 도망을 쳐야 할까봐. 떨리는 숨을 몇 번 들이쉬었다 내쉬었다.

나는 알고 있으니까. 소문의 힘이 얼마나 강한지. 근거가 있든 없든, 사실이든 아니든. 당사자가 힘들어 하든 말든 상관없다. 그냥, 물고 뜯을 거리가 생기면 그런 건 아무것도 중요하지 않은 거다. 어떻게 해야 될 지 모르겠다. 이미 한 번 비슷한 일을 겪어 봤는데도, 달라진 게 없다. 나도 모르게 물어 뜯던 손톱에 피가 맺히는 것을 보고서야 느낀 건, 여전히 할 수 있는 게 아무것도 없다는 것이었다.


"수업 다 끝났어."

누군가 책상을 쳤다. 몸을 천천히 일으켰는데도 머리가 어지러웠다. 반장 이소명이 보인다.

"학교 끝났다고. 집 가야 돼."

멍하니 앉아 있었다. 귀찮은 일을 떠맡은 듯한 표정의 이소명과 사람 없는 교실이 보인다.

"고마워……."

천천히 일어나 가방을 챙겼다. 불을 끄고 문을 잠그는 이소명의 뒷모습을 봤다. 속이 울렁거렸다. 자꾸 반복되고 있다는 느낌을 지울 수가 없었다. 내일도 또 이러면 어떡하지. 주머니 속에서 핸드폰 진동이 울렸다. 최수림에게서 걸려 온 전화다.

"여보세요."

"학교에서 나왔어? 되게 잘 자던데?"

최수림의 목소리를 듣다가 문득 의문이 생겼다.

다른 반까지 퍼진 소문을 애는 못 들은 건가? 아무것도 모르고 있는 건가? 우리 반 반장도 아는 것 같은 얘기를 애는 아직 모르나. 그게 어쩐지 이상하다고 생각하는 내가 예민한 걸까. 아까 물어봤을 때도 모른다고 했으니까. 그럼 그런 거겠지.

"그냥 좀 아팠어. 왜 안 깨웠어?"

"너무 푹 자길래. 어차피 소명이가 깨우지 않았어?"

"그랬긴 한데……."

물어봐야 하나. 말이라도 해봐야겠다 싶어 망설이다 물었다.

"근데 내 얘기 아무것도 들은 거 없어?"

응? 하고 되묻는다. 뭔가 걸리는 게 있는 건지, 기억을 떠올려 보는 건지는 모르겠지만, 잠깐 정적이 생긴다. 또 손톱을 물어뜯었다. 16살 때 생긴 버릇이었다. 초조하거나 불안하면 손톱을 물어뜯는다. 최수림이 정적을 깬 건 그때였다.

"뭔가 너 얘기하는 걸 들은 거 같기도 하고. 근데 왜?"

정말 아무것도 모른다는 것 같아서, 사실 다행이라는 생각이 들었다. 오늘 들었던 말들이 스치듯 떠올랐다. 내 전 학교 생활을 아는 어떤 사람이 소문을 퍼뜨린 거겠지. 그것도 악의적으로, 진짜처럼 부풀려서. 어쨌든 내가 왕따였던 건 맞으니까, 나쁜 쪽으로 소문을 내기 더 쉬웠을 것이다.

"자꾸 내가 왕따였다는 얘기가 돌아서."

"왕따였다는 얘기?"

"어. 혹시 너도 뭐 들은 거 없나 해서……."

"잘 모르겠네. 직접적으로 들은 기억은 없어서."

김이 샜다. 소문이 언제 어디서 퍼진 건지도 알 수가 없다. 핸드폰을 쥔 손에 힘을 주었다.

'그래도 이제는 옆에 있어줄 친구가 있잖아. 괜찮을 거야.'

이렇게라도 되뇌이지 않으면 또 불안해질 것 같아서, 계속해서 생각했다. 혼자가 아니라고. 내 편을 들어줄 사람이 있다고.

"별로 심각한 건 아닐 수도 있지. 몇몇만 그런 걸 수도."

"그런가."

여전히 걱정은 됐지만, 조금은 안심이 됐다. 내 편이 한 명이라도 있는 것 같아서. 상황이 사람을 이렇게 만든다. 최수림의 어떤 면들을 보고 꺼리는 마음이 들었었는데도, 불안할 때에 내 편에 서주는 말을 하니 안심이 된다. 굳이 먼저 나서서 걱정할 필요는 없다. 불안해해봤자 상황이 달라지는 게 아니니까. 지금은 그냥 집에 가서 쉬고 싶었다.

집으로 비척비척 걸어 들어가 침대에 드러누웠다. 씻고 옷을 갈아입을 기운도 없다. 베개에 얼굴을 파묻고 그대로 잠들었다.

## 11. 가시덩굴

"오늘 학교 못 온다고?"

왜? 절망적인 기분으로 되물었다.

"어디 갈 데 있어서. 내일은 갈 걸?"

알겠다고 말하고 전화를 끊었다. 삼켰던 한숨이 새어 나왔다. 최수림을 불안할 때 찾는 회피용으로 여기려던 건 아니지만, 오늘 하루를 그나마 의지하던 사람 없이 버텨낸다는 게 쉽지 않을 것 같아서. 울고 싶다. 몇 달 전, 친구 없이 혼자 지내던 아침, 그때와는 달랐다. 비슷한 듯 달랐다. 그때는 적대적인 시선이라던가, 은근히 들리는 비웃음이라던가 하는 것들은 없었으니까. 무거운 마음으로 집을 나섰다.

또 시작이다. 여기저기서 시선이 느껴진다. 생각하지 않으려 해도 작년 일이 겹쳐 떠올랐다. 사실 막막했다. 뭘 어떻게 해야 하지. 교실에 들어가도 반겨줄 사람이 없을 거다. 물 속 깊은 곳으로 가라앉는 것 같다. 떨리는 마음으로 교실 앞에 섰다.

"야, 들어왔다, 들어왔다."

"옷 또 저거 입고 왔네……."

"걔가 예쁘다 해줬나 보지."

웅성대던 어느 날의 소리가 귀에 맴돌았다. 자꾸 작년이 생각난다. 교실에 들어가는 순간 느껴지는 싸한 분위기. 이번에도 문 뒤에 그런 것들이 기다리고 있을까 봐. 무서웠다. 그때처럼 또 그러면…….

문고리를 잡고 있던 손이 힘없이 툭 떨어졌다. 몸을 돌려 교실에서 멀어지는 길을 택했다. 도저히 들어갈 자신이 없었다.

결국 도망치듯 교무실에 갔다.

"저 배가 아파서 보건실에 있어야 할 것 같아요."

가방을 교실에 놓아주겠다는 선생님에게 짧게 고개를 숙이고 보건실로 향했다. 지금 당장은 교실에 들어갈 용기가 없다. 교실에 들어가는 상상만으로도 숨이 막혔다. 침대에 누워 한숨을 쉬었다. 무늬 하나 없는 하얀 천장을 멍하니 들여다 봤다.

뭐가 어떻게 된 걸까. 대체 어떤 소문이 돈 거지. 정말 소문이 퍼진 거라면 누가, 어떤 이유로 그랬을까. 주변에 소문을 퍼뜨릴 만한 사람이 있던가. 전학 와서 친구들은 조금씩 생겼지만, 대부분은 인사 정도만 하는 사이일 뿐이었다. 친하다고 말 할 수 있을 정도의 애는 최수림밖에…

생각이 멈췄다. 한 번도 생각해보지 못했다.

학교에서 계속 붙어 다닌 것도, 내 이야기를 아는 것도, 최수림이다. 분명 최수림도 전 학교에서의 내 생활을 안다. 설마. 설마 최수림은 아니겠지. 아닐 거라 생각하다가도 남 얘기를 쉽게 입에 올리던 모습이 머릿속에 스쳐 지나갔다. 왜 한 번도 생각을 못해봤을까. 다른 사람이랑 있을 때에도, 내 얘기를 쉽게 입에 올릴 수 있겠다는 걸. 충분히 그럴 수도 있는 애라는 걸. 그러다가도 드는 생각은, 최수림이 과연 그런 애가 맞을까 하는 것. 혼자 있던 나에게 말을 걸어주고, 친구가 되어주고, 같이 다녀주던 애가.

"하아……."

그만하자. 안 좋은 상황에 있다 보니 조급해져서, 괜한 것도 의심이 되는 거다. 쓸데없는 의심 하지 말자. 다시 눈을 감으려는데, 갑자기 보건실 문이 열렸다.

"아 씨, 따가워."

"밴드 저깄을걸? 꺼내서 붙여."

커튼 아래로 이리저리 움직이는 발들이 보였다. 난 왜 숨는 거지. 움직이지도 못하고 있다가 문득 침대 아래에 놓인 신발이 보였다. 큰 소리가 나지 않게 황급히 신발을 집어 올리는데, 바스락하는 밴드 소리와 함께 다시 대화가 이어졌다.

"근데 그 얘기 뭔 얘기야? 걔 있잖아. 누구더라."

'걔'. 이름은 나오지 않았지만 불길한 느낌이 들었다. 그 걔가, 왠지 나일 것 같다는…….

"누구. 뭔 얘기……. 아, 9반 걔? 이 윤?"

이 윤. 예상했던 이름. 내 이름이다. 심장이 세차게 뛰었다. 또 무슨 얘기를 할까. 대체 어떤 얘기가 퍼졌길래, 어딜 가나 이런 얘기가 들릴까.

"전 학교에서 왕따 당했다더라고. 근데 그 이유가 좀……."

신발을 쥔 손에 힘이 들어갔다. 왕따를 당했던 건 맞다. 근데 그 이유가 적대적인 시선을 받을 건 못 된다. 오히려 동정이면 동정이겠지.

"자기 친구랑 잘 되던 애한테 꼬리쳐서 방해했대."

"진짜? 조용해 보여서 그럴 줄 몰랐는데."

"사람 급도 엄청 나눈다더라. 속으로 다 계산하고 친구 사귀나봐."

속이 심하게 울렁거렸다. 머리가 제대로 돌아가지 않는다. 왜 내가 잘못하지 않은 일까지 내 잘못이 되는 걸까. 당장이라도 뛰쳐 나가고 싶었지만 가만히 앉아 손을 움켜쥐었다.

"그럼 최수림 얘기도 같이 들리던 게 그건가."

"걔 왜?"

"이 윤 학기 초에 혼자 다니다가 갑자기 최수림이랑만 다니잖아."

"어어."

"근데 최수림이 여기서 인지도 꽤 높잖아. 아는 애들도 많고……."

사람 급 나누는 애가 인지도 높은 애랑만 붙어다닌다. 숨이 턱 막혔다. 이어질 말이 훤히 그려졌다. 악의로 퍼진 소문에 힘을 불어주기 좋은 상황이었다.

"사람 급 나눈다며. 최수림으로 계산 끝났나 보네."

"아니, 뭐야. 너 몰라?"

"뭐를?"

"이 윤 전 학교 얘기 있잖아. 그거랑 걔 성격 같은 거. 그 얘기 해준 게,"

숨을 죽였다. 불길한 예감이 들었다.

"그거 다 최수림이잖아."

## 12. 배신감은 친분도에 비례한다

익숙한 이름 하나가 귀 언저리에서 웅웅댄다. 최수림이라고? 터무니 없는 얘기를 이렇게까지 퍼뜨린 게. 최수림이 맞았다고?

"하긴…… 예상은 했는데…… 걔도 그래. 자기 딴에는 이미지 관리 한다고 하는데, 평소에 뭐만 하면 애들 얘기 하는 거 진짜 싫어. 근데 왜 아직 같이 다닌대? 뒷담 까놓고?"

"자기는 자기 이미지가 좋다고 생각하잖아. 적응 못 하는 애랑 다녀주는 착한 애로 보이고 싶었던 거지."

"넌 그런 거 다 어떻게 알았냐."

"친구한테 이 윤 소문 듣고 최수림한테 갔었거든? 왜 같이 다니냐고? 그랬더니 자기 말곤 같이 다닐 애가 없어서 불쌍하다고, 그래서 다녀주는 거라고. 이 윤이 나쁜 애는 아니라고 하는거야."

"친구한테 들었다며? 그럼 최수림이 소문 퍼뜨린 거 아니잖아."

"들어 봐 좀. 그 친구한테 다시 물어봤거든. 이윤 얘기 누구한테 들었냐고. 그랬더니 최수림이래잖아. 최수림이 다 말해줬대."

"끼리끼리도 다닌다. 솔직히 걔 하는 것도 싸가지 없다고 듣긴 했어. 말 걸어도 다 무시하고. 그러더니 최수림이랑 다니는 거야? 소름 끼쳐. 왜 왕따 당했는지 알겠다."

왜 왕따 당했는지 알겠다― 하는 말에 울컥했다. 작년에 경험했던 일인데도 여전히 혼란스럽고 혐오스러웠다.

커튼 아래 발들이 사라지고, 대화 소리가 점점 멀어지고, 보건실 문이 닫히고 나서야 참고 있던 숨을 뱉었다. 심장이 미친 듯이 뛰었다. 신발을 쥔 손에 땀이 가득했다. 최수림이라니. 진짜 최수림이었다니. 이런 상황을 예상하지 못한 건 아니었지만, 속으로는 계속 부정하고 있었으니까. 최수림이 아닐 거라고. 내 과거를 아는 사람의 짓일거라고. 사실은 그냥 자기 위안이었을지도 모른다. 믿었던 친구가, 작년의 나에게 상처를 줬던 그 애와 같은 짓을 했다는 걸. 결국 최수림도 똑같은 사람이라는 걸 받아들이고 싶지 않아서. 처음에는 눈물이 났다. 왜 자꾸 이런 일이 생기는 걸까. 왜. 대체 내가 뭘 잘못했길래. 최수림한테 크게 잘못했던 게 있었나? 아니면 뭘까. 모르는 새에 기분을 나쁘게 했나. 물음표들은 새로운 물음표를 만들어 냈다. 그리고 물음표들은 점차 분노가 되어 갔다. 왜 모른척 하는 건지. 왜 아직 옆에 붙어 다니면서 좋은 친구 행세를 하는지. 너나, 작년의 그 애나. 뭘 그렇게 잘못했길래 그럴까. 그동안의 모습들이 머릿속을 스쳐 지나갔다. 최수림을 볼 때마다 느꼈던 불편함도, 그 애 친구들의 묘하던 반응들도.

물론 최수림도 싫지만, 가장 원망스러운 사람은 따로 있다. 소문들에 휘둘려 해도 될 말, 안 될 말 구분도 못 하고 떠드는 애들이 더 싫고 미웠다. 그때나 지금이나. 본인 입에서 나오기 전까지는 진실로 받아들이면 안 된다는 걸 왜 모를까. 아무리 그게 믿을 만한 얘기라고 해도.

사실은 알고 있다. 소문이 사실인지 아닌지가 중요한 게 아니다. '전 학교에서는 꼬리치느라 왕따 당하더니 이제는 계산적으로 친구 사귀는 애'라는 가십거리가 가장 중요한 거다.

침대에 드러누웠다. 지금 당장은 아무 생각도 하고 싶지 않았다.


닫힌 보건실 문 너머로 희미하게 들리는 종소리에 눈을 떴다. 시계는 5교시가 막 시작했음을 알려주고 있었다. 목소리가 한껏 잠겨 나와서 목소리를 다듬었다. 무거워진 몸을 일으켰다. 보건실에만 있을 수 없으니까. 신발을 구겨 신고 보건실을 나섰다. 걸음을 뗄 때마다 머리가 지끈거렸다.

"선생님, 저 오늘은 조퇴해야 할 것 같아요."

이마 부근을 꾹 누르자 선생님이 조퇴증을 꺼내 손에 쥐어 주었다.

"아파서 어떡해. 계속 그러면 병원 꼭 가고. 오늘은 들어가서 쉬어."

조퇴증을 가볍게 말아 쥐고 고개를 끄덕였다.

"네."

오늘 있었던 일들을 천천히 곱씹었다. 머리가 아려 오는 느낌에 얼마 안 가 그만두었지만.


- 나 오늘은 학교 가.
- 근데 같이는 못 가.


연달아 울리는 알람 소리에 불편하게 잠에서 깼다. 눈을 찡그려 핸드폰 화면을 들여다봤다. 마주하고 싶지 않은 이름과 2개의 메세지. 어떻게 이렇게 뻔뻔하지. 화면을 끄고 돌아누웠다.

머리가 울리고 심장이 세차게 뛰었다. 며칠 전부터 느꼈던 거지만, 오늘은 유독 심했다. 알고 싶지 않던 얘기를 한꺼번에 듣게 돼서 그럴까. 이젠 완전히 혼자라는 생각 때문에. 최수림도 결국 똑같은 애였구나, 다시 한 번 생각했다. 나를 얼마나 우습게 생각하길래. 남이 나를 욕하는 것보다, 같은 편이라 생각했던 사람이 나를 욕하는 게 더 아프다. 눈을 감았다. 매일 아침이 끔찍하다. 학교를 가야 한다는 사실 하나 때문에. 최수림 때문에. 걔 때문에 내가. 조롱이 담긴 웃음과 시선들을 받는 하루 하루는, 아무리 많이 겪어본다 해도 익숙해질 수 없을 것이다.

침대에서 진동이 울렸다. 전화가 오고 있었다. 화면에 찍힌 글자는 최수림, 세 글자였다. 메시지를 읽지 않아서 전화를 한 모양이다. 예전의 나는 전화를 받았겠지. 평소처럼 일상적인 대화를 나눴을 거다. 진동이 몇 번 울리다 뚝 끊겼다. 그제야 핸드폰을 집어들고 집을 나섰다.


들어가기 싫다. 며칠을 앞에서 서성이던 문 앞에 멈춰섰다. 언제까지고 도망치기만 할 순 없다는 걸 안다. 들어가면 최수림이 있을까. 아직 안 왔을까. 만약 와 있으면 평소처럼 대할 수 있을까. 어떻게 최수림을 대해야할 지 모르겠다. 여전히 울렁이는 속을 다잡고 문을 열었다.

문을 열자마자 한순간에 조용해진다. 한 발자국씩 걸어 나갔다. 최수림이 있는지 둘러볼 용기도 없었다. 시선을 바닥에 고정하고 앞으로 움직이기만 할 뿐이었다. 한 걸음 내딛는 시간이 한 시간 같다. 전학을 오면 이런 느낌을 받을 일이 없을 거라 생각했는데. 마치 작년의 나로 돌아가 버린 것 같았다. 자리에 앉아 고개를 파묻었다. 그렇다고 날 선 수군거림이 들리지 않는 건 아니었다.

"설마 아직 모르나? 자기 얘기 학교에 쫙 돈 거?"

"알겠지. 아니까 엎드려 있겠지……. 불쌍하다 쟤도."

불쌍하다. 엎드린 팔 너머로 작게 들리는 말이 마음에 꽂힌다. 기분이 가라앉았다. 불쌍하다고. 동정하는 걸로 보이지만 어쨌든 뒷담화일 뿐이다. 시큰거려오는 코끝에 괜한 헛기침을 하고 고개를 더 숨기려는데, 문이 열리는 소리가 들렸다.

"수림아, 오늘까지 출결 서류 내야 해. 어제 안 왔지."

"맞다. 두고 왔는데. 내일 줄게."

익숙한 목소리가 점점 가까워질 동안 고개 한 번 들지 않고 가만히 있었다. 온 신경을 귀에 집중시킨 채 버티던 중 발소리가 멈췄다. 고개를 들 수는 없어서 가만히 있자 얼마 안 가 뒤에서 말소리가 들려왔다.

"얘 자?"

"어. 1교시 이동 수업인데. 깨워야 하는 거 아니야?"

내가 왜 깨워야 하나, 깨울 거면 네가 깨워라 하는 대화 소리가 들리는데, 가까이서 익숙한 목소리가 들린다.

"아냐, 뭐하러. 냅둬. 그냥 우리끼리 가."

그나마 버텨오던 기분이 꺾였다. 이런 식으로 하고 다녔던 거구나. 앞에서는 친한 친구인 척, 내 얘기는 아무것도 못 들은 척 하면서 뒤에서는 이러고 다닌 거야. 나는 지금까지 이런 애랑 뭘 했던 거지. 이런 애를 믿으려고 애쓰고, 가장 친한 친구랍시고 의지 하고…… 한심하게 느껴졌다.

하나 둘 이동 수업을 갈 때까지도 혼자 교실에 남았다. 깨워주는 사람 한 명 없었다. 그게 비참해 울컥 눈물이 날 뻔 한 것을 겨우 참았다. 결국 선생님에게 수업을 쉬어야 할 것 같다 말하고 교실로 돌아왔다.

나는 여전히 용기가 없었다.

이동 수업이 거의 끝나갈 때 쯤이었다. 복잡한 기분으로 창문 턱에 머리를 기댔다. 혼자 있는 게 죽도록 싫었는데. 지금은 혼자 있어야 겨우 숨이 트인다. 햇빛만 약하게 들어오는 교실을 둘러봤다. 한숨이 나왔다. 적막한 공간에 작은 소리가 끼어든 건 그때였다.

둔탁하게 소리가 울린다. 발소리인 것 같았다. 당황해 시계를 봤다. 아직 수업이 끝나려면 10분 정도 더 남았는데, 왜.. 죄를 지은 사람 처럼 허둥지둥 책상에 엎드리려는데, 한순간 기운이 빠졌다.

"뭐야. 일어나있네?"

최수림이 교실로 걸어 들어왔다.

"수업도 안 들어오고 잘 자더라. 난 그냥 아프다 하고 좀 빨리 왔거든."

정말 누구라도 속겠다 생각했다. 무언가가 역류하듯 올라온다. 내가 참아야지. 나서봤자 뭘 할 수 있어. 그때랑 똑같을 거야. 하던 것들이.

"왜 그랬어?"

손이 떨린다. 이렇게 직접적으로 마주하는 건 처음이라. 아니면 아직도 작년의 두려움이 남아서일까. 나만 아무렇지 않은 척 지내면 괜찮았을 수도 있는 상황을 더 안 좋게 만드는 걸까 봐 무섭기도 했다.

속을 알 수 없는 표정이었다. 뭐가 그렇게 싫었을까. 뭐가 그렇게 싫어서 이런 짓까지 했을까.

"뭐가?"

지겨웠다. 왜 내가 모를 거라고 생각할까. 언제까지 모른 척을 할 생각이었던 건지. 지금 내가 무슨 말을 하는지 모를 리가 없다.

"왜 내 얘기 하고 다녔냐고."

다른 걸 물어볼 생각은 안 났다. 궁금한 건 그거 하나였다. 내가 좋아서 그런 짓을 하지는 않았을 테니까.

"아…….. 너 왕따 얘기 하는 거야?"

뻔뻔한 목소리에 알 수 없는 복잡한 감정이 스쳤다.

"어디서 들었어?"

"지금 그게 중요해?"

"누구지. 이주영인가. 강다혜?"

무슨 말이라도 해야 하는데 잘 나오지 않았다. 말문이 막혔다.

"솔직히 말하면, 나도 처음엔 그럴 생각 없었어."

사실 속으로는 믿고 싶지 않았나 보다. 남에게서 듣는 진실과 본인 입에서 나오는 진실은 무게부터가 다르다. 결국은 저런 애였던 거구나.

"너 우리 집 어떤지 다 봤잖아."

"그건,"

"근데 왜 너네 집을 데려가? 꾸역 꾸역?"

심장이 쿵 가라앉았다.

"우리는 너네랑 다르게 화목해, 뭐 이런 건가?"

황당했다. 혹시 그렇게 생각할까 봐 얼마나 고민을 많이 했는데. 왜. 나는 끊임없이 이유를 생각하고 생각했는데. 내가 뭘 잘못한 걸까, 나도 모르는 새에 뭘 잘못했던 걸까.

"착한 척도 그만 좀 하고."

착한 척을 했던 적이 있었을까. 김규원에 대해 한 마디 했을 때. 아마 그때가 아니었을까 싶다. 위축되어 있는 모습이 어쩐지 나 같아서, 가만히 있는 건 도저히 아니라고 생각해서 나도 모르게 했던 말.

- 그게 그렇게 재밌어?

그리고 후에 따라오던 정적. 그것도 이런 이유였구나. 분명 알고 있었다. 최수림이 어떤 사람인지. 애써 부정해 왔던 거다. 친한 친구라는 이유 하나로. 화가 났다. 그 대상이 최수림인지 나 자신인지는 모르겠지만.

"그리고 네가 다른 애들한테 우리 집 얘기를 할 지 안 할지 어떻게 알아. 널 뭘 믿고? 그래서 그냥 입막음 해둔 거지. 이제 애들은 너 말 안 믿을 거니까."

"걱정하지 말라고 했잖아. 네 소문 막으려고 내 소문으로 선수 쳤다는 거야?"

"이제 와서 그런 거 말해봤자 뭐해?"

"안 말하면? 계속 너랑 붙어 다니라고?"

"누군 좋아서 붙어 다니는 줄 아냐……."

굳게 말아쥔 손을 풀었다. 힘이 풀렸다. 어떻게 이렇게 똑같을 수가 있을까.

"내가 잘못한 게 아니잖아. 그냥 걔가 날 좋아한 거고."

"그런 게 중요한가 지금. 애초에 네가 끊어냈으면 됐잖아. 내가 좋아하는 거 뻔히 알면서."

"난 그런 거 안 해. 나랑 친했었잖아. 그럼 알 거 아니야."

"야, 나 너 좋아서 친하게 지냈던 거 아니야. 그때부터 별로였어 너."

짜증스레 서 있는 최수림의 모습이 작년 어느 날과 아득하게 겹쳐 보였다. 그러니까 최수림은, 결국 바보같은 짓을 한 거다.

괜한 의심을 해서. 스스로에게 가정이 화목하지 않다는 흠이 생길까 봐, 그게 무서워서. 얘는 왜 이렇게 사람을 믿지 못할까. 그런 모습 때문에 나와 비슷하다는 생각을 했던 때도 있었지만. 이제 알았다. 달라. 최수림과 나는 다르다.

재는 모르겠지. 아마 누가 말해주지 않는 이상 모를 거다. 자신의 이미지를 잘 지키고 있다고 생각하지만, 사실 그게 아니라는 걸. 남들은 다 아는데, 평소 어떤 행동을 하는지 다 아는데.

"뭐가 됐든, 네가 사과해야 하는 상황 아니야?"

"네가 나한테 사과해야 하는 상황이잖아."

작년 어느 날의 나와 한 가지 다른 점은, 물음표가 마침표로 바뀌었다는 것. 확신이 생겨서였다. 그때도 지금도, 내가 잘못한 건 없다. 괜히 굽실거리고 초조해할 필요 없다. 이런 애들은 내가 뭘 해도 싫어할 테니까. 이제야 깨달았다. 한숨을 쉬는데, 웅성거리는 소리가 들려왔다. 이동 수업이 끝난 애들이 돌아오고 있는 것 같았다. 떠들며 교실에 들어오던 애들은 우리를 보고 멈칫했다. 그러다 눈치를 보며 각자 자리에 앉았다.

"앉아서 다음 수업 준비하고 있어."

수업을 마치고 들어오던 선생님의 목소리가 들렸다.

"뭐야. 너네는 왜 그러고 서 있어."

입을 다물었다. 싸웠냐는 질문에 둘 다 대답을 하지 않았다.

"너희 둘은 잠깐 나 따라오고."

이상한 기류를 느낀 선생님이 교무실로 불러낼 때까지, 우리는 서로에게 눈길도 주지 않은 채 조용히 뒤를 따랐다.

# 13. 끝

교무실에 무거운 정적이 흘렀다. 간추려 얘기한 상황 설명을 들은 선생님은 짧게 한숨을 쉬었다.

"너희같은 애들 한 두 번 본 줄 알아? 매년 있었어, 매년."

최수림은 지겨워 보였다. 곧이어 나온 질문에 표정은 더 구겨졌다.

"너는 왜 윤이 얘기를 함부로 말하고 다녀?"

"말하고 다닌 거 아니에요. 한 명한테만 말한 거지."

"몇 명한테 말했든 똑같아. 넌 윤이가 네 얘기 막 하고 다니면 좋을 것 같아? 거짓말까지 해가면서?"

속을 알 수 없는 표정이었다. 무슨 생각을 하고 있는지는 모르겠지만. 과연 반성을 하고 있긴 할까.

"됐다. 넌 윤이한테 사과하고, 소문 정정해. 애들이 윤이를 어떻게 보겠어."

왠지 씁쓸한 기분이 들었다. 이미 일이 벌어진 후에 그런 걱정을 해봤자 뭐할까. 사과하라는 말을 들은 얼굴에 짜증이 돈다. 하기 싫겠지. 자기가 잘못했다는 생각을 안 해 본 애다.

"미안해. 너 얘기 막 해서."

조금의 망설임도 없다. 미안한 감정이 정말 하나도, 단 하나도 없는 거다. 그러니까 저럴 수 있는거겠지. 애초에 진심으로 사과를 할 거라는 생각도 안 했다. 진심 어린 사과를 할 줄 아는 애였으면 진작 했을 거야. 고개를 끄덕였다. 굳이 괜찮다는 말을 하고 싶지는 않았다.

"이제 들어가 봐. 수림이 먼저 나가고. 윤이 넌 조금 있다가 나가."

그 말에 최수림이 바로 몸을 돌려 교무실을 나갔다. 큰 소리를 내며 닫힌 문에 선생님이 한숨을 쉬었다.

"학교 다니기 힘들지는 않겠어? 그런 일이 있었으면 와서 말하지 그랬어."

그럴 생각은 한 번도 하지 않았다. 이것도 작년의 영향이겠지. 그때는 선생님에게 말도 해 봤다. 이런 일이 있었는데 어떻게 해야 할 지 모르겠다고.

"너희들 싸움은 너희가 알아서 해야지. 그리고 너네 이성 관련으로 문제 일으키지 마."

그 때 느꼈다. 선생님도 방관자일 뿐이라고. 그래서 선생님에게 도움을 구할 생각은 하지도 못했다. 기대가 없으니까.

"앞으로 또 그러면 말할게요."

이제 나가봐도 된다는 선생님에게 짧게 고개를 숙인 후, 교무실을 나왔다.

닫힌 문에 기대어 심호흡을 몇 번 했다. 남은 건 딱 하나, 허무함이었다. 이런 대화 몇 번으로 끝난 게 허무하다. 솔직히 최수림에게 고마웠던 게 없는 것도 아니고, 같이 웃으며 지냈던 추억이 있으니까. 최수림도 똑같겠지. 그렇다고 아쉽다거나, 화가 난다거나 하는 느낌은 없었다. 허무했다. 혼자 힘들어 했던 날들이, 속을 썩여가며 고민했던 모든 게 한순간에 끝이 났다는 게.

앞으로의 매일이 걱정되지 않는다고 하면 거짓말이겠지. 하지만 이미 다 끝난 상황에서 내가 뭘 더 할 수 있을까. 받아들이고 무뎌지는 수밖에 없다. 어차피 이제는 혼자가 더 편하다.

마지막으로 심호흡을 했다. 모든 걸 털어냈다. 최수림에 대한 복잡한 감정도, 앞으로의 두려움도.

잘 된 거다. 언젠간 이렇게 될거였어.

# 14. 부메랑

남은 학교 생활은 예상대로 흘러갔다. 최수림과는 마주쳐도 아는 척을 하지 않았고, 내 곁에 이렇다 할 친한 친구는 생기지 않았다. 소문을 정정하라는 선생님 덕에 더 이상 그 일에 대해 떠들고 다니는 사람은 없었지만, 와서 사과를 하는 사람도 없었다. 그게 좀 씁쓸하긴 했다. 직접적으로 소문을 낸 건 최수림이지만, 그 소문을 부풀려 떠들고 다닌 것도, 날카로운 말들로 상처를 준 것도 본인들이면서. 그냥 힐끔 힐끔 몇 번 시선을 던지는게 다였다. 당연하게 같이 있어 줄 친구 하나 없이 지냈지만, 차라리 그게 나았다. 언젠가부터 혼자가 편했다. 당연하게 혼자 밥을 먹고, 남은 시간을 보냈다. 모든 사람들의 조롱을 받을 때에 비하면 괜찮은 생활이었지만, 또 혼자가 되었다는 것을 자각할 때마다 문득 외롭기는 했다.

그 후로는 공부에 파고들었다. 같이 놀 사람 하나 없던 상황에 할 수 있는 건 그것 뿐이었으니까. 묵묵히 책상에 앉아 공부만 해왔던 덕에 원하는 대학교에 입학할 수 있었다. 뿌듯하다. 오랜만에 느끼는 긍정적인 감정이었다.

그렇게 대학생이 되었을 때, 뿌듯함과 기대감으로 벅차올랐을 때쯤에, 문득 궁금한 마음이 들기는 했다. 지금쯤 어떻게 살고 있을지. 어디서 어떤 사람이 되어 살고 있을지 궁금하기도 했었는데, 변한 게 전혀 없었다.


"어쨌든 불쌍하지. 옷도 후줄근하고. 휴학까지 하는데."

어떻게 다시 만나게 된 순간에도 똑같은 짓을 하고 있을까. 커피를 내려놓았다. 손에 차가운 감촉이 남았다.

"나 잠깐 화장실 좀."

기분이 이상했다. 씁쓸한 것 같기도 하고, 황당한 것 같기도 하고……. 더

나은 사람이 되어 있을 거란 생각은 해본 적 없지만, 이 정도로 한심한 어른이 되어 있을 줄은 몰랐다. 묘한 기분으로 빈 자리를 보는데, 일행 셋이 한숨을 쉬었다.

"피곤해 진짜. 쟤 언제까지 데리고 다닐 건데."

'쟤'는 최수림이겠지. 목소리에서 지겨움이 묻어났다.

"몰라. 저러는 것도 한 두번이지. 어디 가서 우리까지 이상하게 얘기하고 다닐까 봐 겁나네."

"그러겠냐. 쟤 이제 그런 거 못 해. 친구가 우리밖에 없는데."

별로 놀랍지도 않다. 자기가 한 짓을 그대로 되받고 있는 꼴이 우스울 뿐이다. 대체 얼마 동안 저 짓을 해왔던 걸까. 친구가 그 셋 말고는 없는 듯하다. 들어보니 그마저도 친구는 아닌 것 같지만.

묘했던 기분이 한순간에 차분해진다. 한심했다. 나는 그 때 이후로 다시는 남 얘기를 입에 올리지 않는데, 누군가 그런 얘기를 할 때 끼어들지 않을 수 있는 용기를 가지게 되었는데. 나도 모르는 새 더 단단해졌는데 최수림은 전혀 변한 게 없다는 걸 깨달아서.

최수림이 다시 자리에 앉았다. 셋은 아무 일도 없었던 척 최수림을 맞이한다. 어느 하나 한심하지 않은 쪽이 없다. 스스로 수준을 낮추고 다니는 최수림이나, 뒷담으로 똘똘 뭉쳤을 게 뻔한 그 셋이나. 가장 한심한 건 역시 최수림이었지만.

그땐 그렇게 믿고 지겨웠던 얼굴이 지금은 볼품없고 초라해보인다. 아무것도 이룬 것 없이 초라한 어른이 되어버린 그 애를 얼마 동안 바라보다 그만뒀다. 더 볼 필요가 없을 것 같아서. 가끔 그런 생각을 하긴 했다. 만약, 정말 만약에 최수림을 다시 만난다면, 나는 어떻게 반응하게 될까. 그때의 상처가 생각날까. 그런데 막상 만나고 보니, 상처라거나, 두려움이라거나 하는 것들은 없었다. 허무했다. 어영부영 마무리 되었던 그날, 교무실 앞에서처럼. 너무 허무해서 이게 맞는 건가 싶을 정도로. 오랜 시간 마음 속에 조그맣게 자리잡고 있던 무언가가 한꺼번에 빠져나간 것 같았다.

그만하자. 어차피 이제 나랑은 상관없는 일이다. 쟤가 얼마나 더 망가진 사람이 되든 말든.

친구 사이에 뒷담화를 해보지 않은 사람이 있을까. 모든 관계에는 의도가 어찌 됐건 꼭 뒷 얘기가 오간다. 친한 친구가 되기 위해서 꼭 치러야 하는 의무적인 시험처럼. 그것을 보지 않거나 틀린 답을 말하면 어느 순간부터 친구라는 울타리 바깥으로 떨어지는 거다. 도덕적으로 옳은 답은 친구 사이에서는 틀린 답이 됐다. 최수림을 만나고 난 후로 느낀 것은, 그래도 끊어내야 한다는 것. 사이에 끼지 못할 수도 있다는 생각 때문에 같이 남을 까내리게 되면, 언젠가는 반드시 나한테도 돌아온다는 것. 그것 뿐이었다.

"미안, 좀 늦었지. 이따 밥 살게."
"아니야."

우보현이 허겁지겁 들어와 앞자리에 앉았다. 핸드폰을 내려놓으며 웃었다. 어쩐지 기분이 후련했다.

너는 계속 그렇게 살아. 매일 매일, 변하는 것 없이 그대로.

# 반짝이는 계절

**발행** 2024년 3월 25일

**지은이** 윤정화 박세아 김예림 이은별
**기획** 윤정화
**인스타그램** cooldryice97
**펴낸이** 한건희
**출판사등록** 2014.07.15(제2014-16호)
**주소** 서울 금천구 가산디지털1로 119. A동 305호
**전화** 1670-8316
**이메일** info@bookk.co.kr

**ISBN** 979-11-410-7612-2

**www.bookk.co.kr**